요점만화

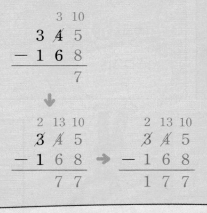

시간이 없어. 당장 출발하자.

그러다가 보물 지도를 잃어버리겠어. 접어서 주머니에 넣어.

그럴까?

두 점을 곧게 이은 선인 선분을 따라 접고 한 번 더 접으면 되겠다.

지도가 지워지지 않았는지 한번 펴 볼까?

앗, 저기 직각이 생겼네.

지금 이러고 있을 때가 아냐. 빨리 가자!

쳇, 알았다구!

헉헉!

힘내! 이제 산 하나만 더 넘으면 돼.

그 소리 벌써 열 번째다!

아~ 배고파. 샌드위치 좀 먹고 가자.

내 샌드위치에는 한 각이 직각인 직각삼각형 모양이 있네.

우리 샌드위치에는 네 각이 모두 직각인 직각사각형 모양이 있어!

네 각이 모두 직각인 사각형은 직사각형이라고 하는 거야.

얘들아, 이것 봐. 내가 도형의 각과 직각의 수를 정리해 봤어.

네 각이 모두 직각이고 네 변의 길이가 모두 같은 정사각형도 있네.

	각의 수	직각의 수
직각삼각형	3개	1개
직사각형	4개	4개
정사각형	4개	4개

아~ 샌드위치 잘 먹었다.

너무 배불러~.

좀만 쉬었다 갈까?

드르렁~

히히히~ 보… 보물이다……

이것들이 내 영역에서 겁도 없이……

▶정답은 1쪽

1. 덧셈과 뺄셈

1 받아올림이 없는 (세 자리 수)＋(세 자리 수)

예 342＋156의 계산

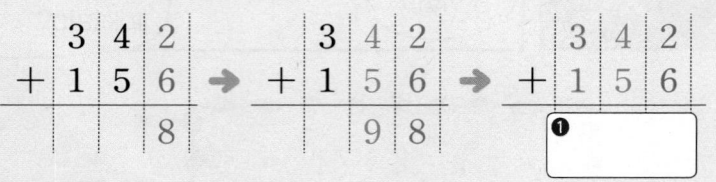

각 자리의 숫자를 맞추어 적고 일, 십, 백의 자리의
순서로 더한 값을 적습니다.

2 받아올림이 있는 (세 자리 수)＋(세 자리 수)

예 678＋585의 계산

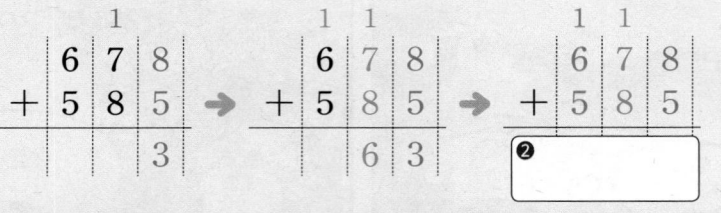

각 자리끼리의 합에서 받아올림이 있으면 바로 윗
자리에 받아올려 계산합니다.

3 받아내림이 없는 (세 자리 수)－(세 자리 수)

예 576－342의 계산

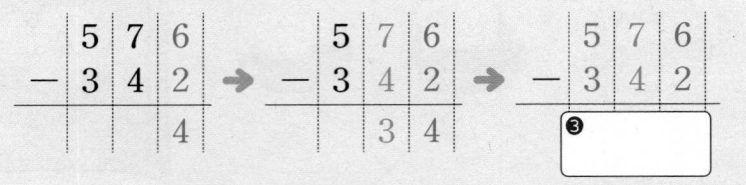

각 자리의 숫자를 맞추어 적고 일, 십, 백의 자리의
순서로 뺀 값을 적습니다.

4 받아내림이 있는 (세 자리 수)－(세 자리 수)

예 541－298의 계산

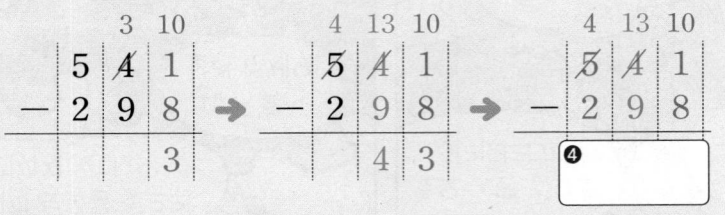

각 자리끼리 뺄 수 없으면 바로 윗자리에서 받아
내려 계산합니다.

정답: ❶ 498 ❷ 1263 ❸ 234 ❹ 243

대표유형 ❶

빈칸에 알맞은 수를 써넣으세요.

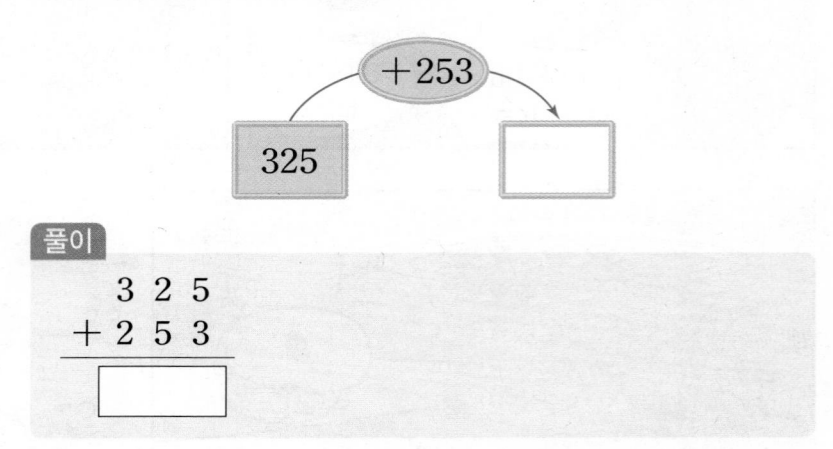

풀이

$$
\begin{array}{r}
3\ 2\ 5 \\
+\ 2\ 5\ 3 \\
\hline

\end{array}
$$

대표유형 ❷

제주도로 가는 비행기에 어른이 156명, 어린이가 145명
타고 있습니다. 이 비행기에 타고 있는 사람은 모두 몇 명
일까요?

풀이

(어른 수)＋(어린이 수)

＝156＋ [ ] ＝ [ ] (명)

답 _____

대표유형 ❸

두 색 테이프의 길이의 차는 몇 m일까요?

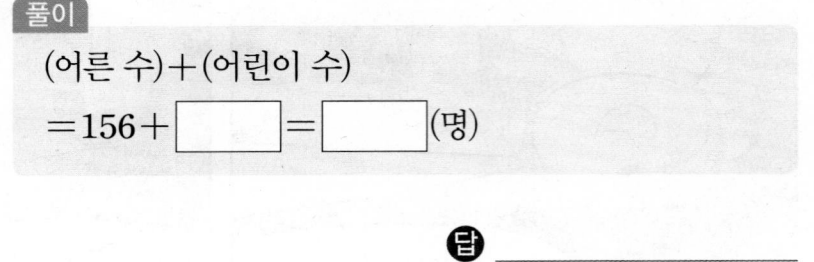

265 m

143 m

풀이

265 ◯ 143

➡ (분홍색 테이프의 길이)－(연두색 테이프의 길이)

＝265－143＝ [ ] (m)

답 _____

대표유형 ❹

◯ 안에 ＞, ＝, ＜를 알맞게 써넣으세요.

567－379 ◯ 176

풀이

567－379＝ [ ]

➡ 567－379 ◯ 176

1 □ 안에 알맞은 숫자를 써넣으세요.

$$
\begin{array}{r}
4\ 2\ 8 \\
+\ 3\ 6\ 1 \\
\hline

\end{array}
$$

[2~3] 계산해 보세요.

2
$$
\begin{array}{r}
8\ 5\ 2 \\
-\ 5\ 1\ 8 \\
\hline
\end{array}
$$

3 $928-375$

4 □ 안에 알맞은 수를 써넣으세요.

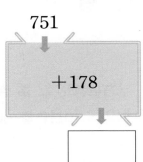

751

+178

5 두 수의 차를 빈 곳에 써넣으세요.

185   422

6 □ 안에 알맞은 수를 써넣으세요.

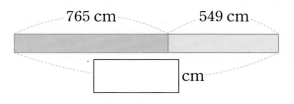

765 cm   549 cm

cm

7 빈칸에 알맞은 수를 써넣으세요.

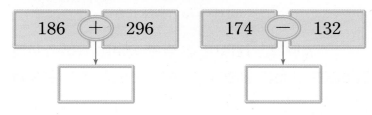

186 + 296   174 − 132

8 오늘 야구 경기장에 여자가 952명, 남자가 879명 입장했습니다. 입장한 여자는 남자보다 몇 명 더 많은지 구하세요.

(   )

9 계산 결과의 크기를 비교하여 ○ 안에 >, =, <를 알맞게 써넣으세요.

$223+298$ ◯ $817-159$

10 빈칸에 알맞은 수를 써넣으세요.

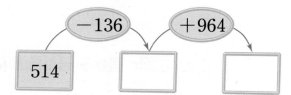

−136   +964

514

11 빈칸에 알맞은 수를 써넣으세요.

846
→
−189 →
−298 →

12 배구공이 895개, 축구공이 576개 있습니다. 배구공과 축구공은 모두 몇 개 있을까요?

식 _____

답 _____

13 계산 결과가 가장 작은 것을 찾아 기호를 쓰세요.

㉠ 829＋791　㉡ 654＋968　㉢ 993＋487

(　　　　　)

14 문제 해결

3장의 수 카드 5 , 1 , 6 을 한 번씩만 사용하여 세 자리 수를 만들려고 합니다. 만들 수 있는 가장 큰 세 자리 수보다 145 작은 수는 얼마일까요?

(　　　　　)

15 두 수를 골라 차가 가장 크게 나오도록 식을 만들어 보세요.

729　　572　　196　　483

□ － □ ＝ □

16 □ 안에 알맞은 숫자를 써넣으세요.

```
    □ 3 4
 −  5 9 □
 ─────────
    1 □ 8
```

17 진주는 구슬을 154개 모았고 준영이는 249개 모았습니다. 진주와 준영이가 모은 구슬이 600개가 되려면 몇 개를 더 모아야 할까요?

(　　　　　)

18 추론

어떤 수에서 367을 뺐더니 598이 되었습니다. 어떤 수는 얼마일까요?

(　　　　　)

19 다음을 보고 민서가 집에서 학교에 갔다가 도현이네 집까지 가는 거리는 모두 몇 m인지 구하세요.

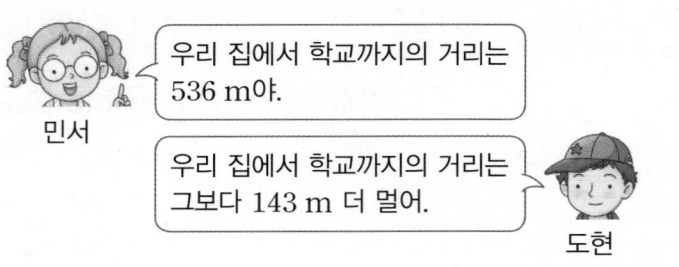

우리 집에서 학교까지의 거리는 536 m야.
민서

우리 집에서 학교까지의 거리는 그보다 143 m 더 멀어.
도현

(　　　　　)

20 기호 ◉에 대하여 가◉나＝가＋나＋나라고 약속할 때 476◉368을 계산하세요.

(　　　　　)

▶ 정답은 2쪽

2. 평면도형

1 선분, 반직선, 직선

(1) **선분**: 두 점을 곧게 이은 선

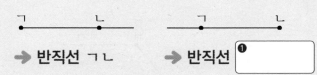

➡ **선분 ㄱㄴ** 또는 **선분 ㄴㄱ**

(2) **반직선**: 한 점에서 시작하여 한쪽으로 끝없이 늘인 곧은 선

➡ **반직선 ㄱㄴ**   ➡ **반직선 ❶[   ]**

(3) **직선**: 선분을 양쪽으로 끝없이 늘인 곧은 선

➡ **직선 ㄱㄴ** 또는 **직선 ㄴㄱ**

2 각, 직각

(1) **각**: 한 점에서 그은 두 반직선으로 이루어진 도형

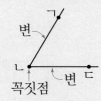

변 / 꼭짓점 / 변

① 각 읽기: **각 ㄱㄴㄷ** 또는 **각 ㄷㄴㄱ**

② 점 **❷[   ]** ➡ 각의 **꼭짓점**

③ 반직선 ㄴㄱ, 반직선 ㄴㄷ ➡ 각의 **변**

④ 변 읽기: **변 ㄴㄱ**과 **변 ㄴㄷ**

(2) **직각**: 종이를 반듯하게 두 번 접었을 때 생기는 각

직각 ㄱㄴㄷ을 나타낼 때에는 꼭짓점 ㄴ에 └┘ 표시를 합니다.

3 직각삼각형, 직사각형, 정사각형

(1) **직각삼각형**: 한 각이 **❸[   ]**인 삼각형

(2) **직사각형**: 네 각이 모두 직각인 사각형

(3) **정사각형**: 네 각이 모두 직각이고 네 변의 길이가 모두 같은 사각형

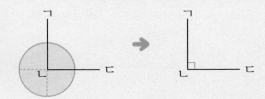

직각삼각형   직사각형   정사각형

대표유형 ❶

오른쪽 도형에는 선분이 모두 몇 개 있을까요?

풀이

두 점을 곧게 이은 선이 [   ]개 있으므로 선분이 모두 [   ]개 있습니다.

답 _____

대표유형 ❷

오른쪽 도형에는 직각이 모두 몇 개 있을까요?

풀이

직각 삼각자의 직각이 있는 부분과 꼭 맞게 겹쳐지는 각은 [   ]개이므로 직각이 모두 [   ]개 있습니다.

답 _____

대표유형 ❸

직각삼각형을 모두 찾아 기호를 쓰세요.

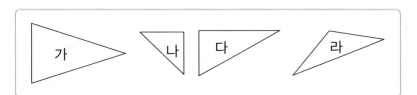

가   나   다   라

풀이

한 각이 직각인 삼각형을 [   ]이라고 합니다. 직각삼각형의 기호는 [   ], [   ] 입니다.

답 _____

대표유형 ❹

다음은 어떤 도형을 설명한 것일까요?

- 4개의 선분으로 둘러싸여 있습니다.
- 네 각이 모두 직각입니다.

풀이

4개의 선분으로 둘러싸인 도형은 [   ]입니다.
네 각이 모두 직각인 사각형은 [   ]입니다.

답 _____

1 선분을 찾아 ○표 하세요.

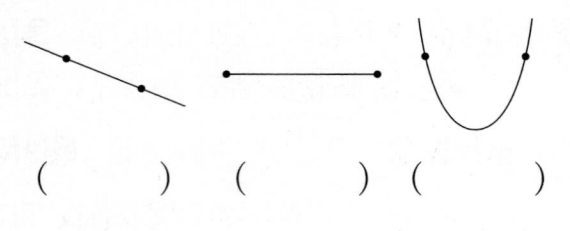

(   )   (   )   (   )

2 도형의 이름을 쓰세요.

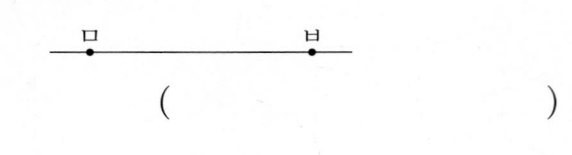

(   )

3 직각삼각형을 모두 찾아 기호를 쓰세요.

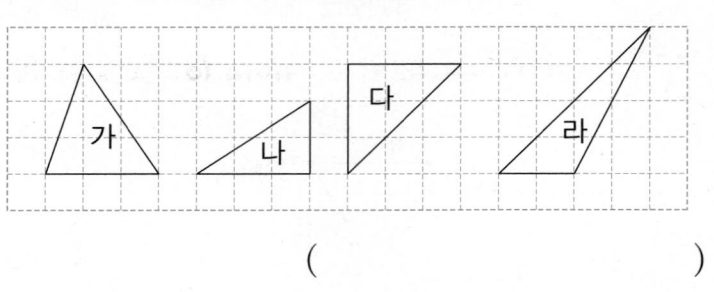

(   )

4 각을 읽어 보세요.

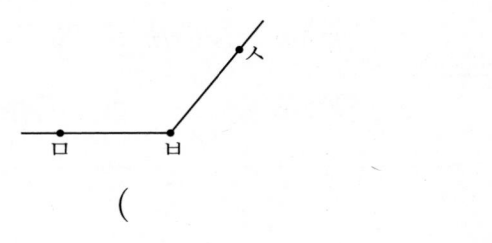

(   )

5 직각이 있는 도형을 찾아 기호를 쓰세요.

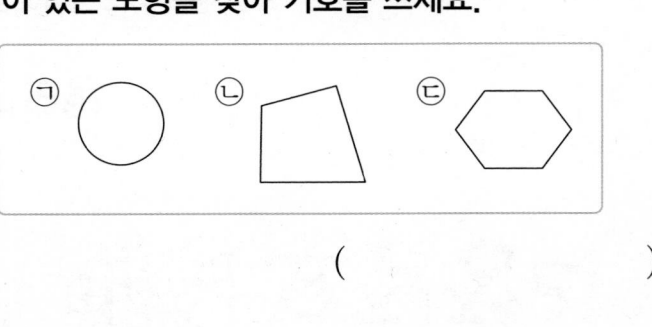

(   )

6 반직선 ㄱㅁ을 그어 보세요.

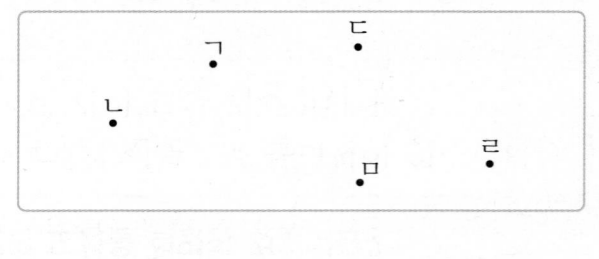

[7~9] 도형을 보고 물음에 답하세요.

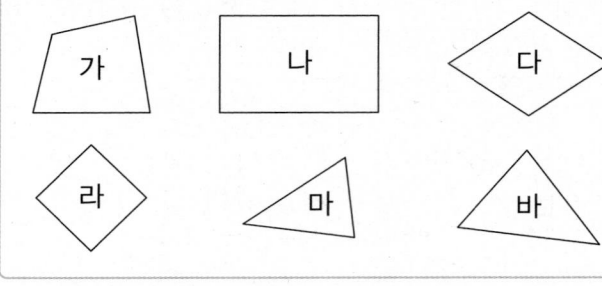

7 직사각형을 모두 찾아 기호를 쓰세요.

(   )

8 정사각형을 찾아 기호를 쓰세요.

(   )

9 직사각형은 정사각형이라고 할 수 있습니까, 없습니까?

(   )

10 도형에는 각과 직각이 각각 몇 개 있습니까?

각 (   )

직각 (   )

11 점 종이에 모양과 크기가 다른 직각삼각형을 2개 그려 보세요.

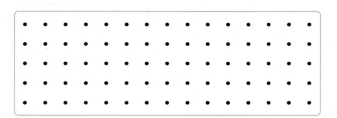

12 오른쪽 도형은 정사각형이 아닙니다. 그 이유를 쓰세요. (서술형)

이유 _____

_____

13 가로가 5 m, 세로가 2 m인 직사각형 모양의 게시판 둘레에 겹치지 않게 색 테이프를 붙이려고 합니다. 필요한 색 테이프의 길이는 몇 m일까요?

( )

14 오른쪽 그림에는 직각이 모두 몇 개 있을까요?

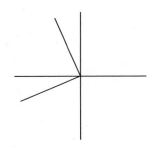

( )

15 오른쪽 도형의 이름이 될 수 없는 것을 찾아 기호를 쓰세요.

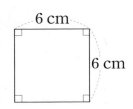
6 cm
6 cm

┌─────────────────────────────────────┐
│ ㉠ 직각삼각형 ㉡ 직사각형 ㉢ 정사각형 │
└─────────────────────────────────────┘

( )

16 직각삼각형 1개, 정사각형 1개에는 직각이 모두 몇 개 있을까요?

( )

17 (창의·융합) 지연이가 어제 저녁에 잠을 잔 시각은 시계의 긴바늘과 짧은바늘이 이루는 각이 직각이고, 긴바늘이 숫자 12를 가리킬 때였습니다. 지연이가 잠을 잔 시각은 몇 시일까요?

( )

18 성진이는 가지고 있는 철사를 겹치지 않게 사용하여 한 변이 7 cm인 정사각형을 한 개 만들었습니다. 철사가 15 cm 남았다면 성진이가 처음에 가지고 있던 철사는 몇 cm일까요?

( )

19 오른쪽 그림에서 찾을 수 있는 크고 작은 직각삼각형은 모두 몇 개일까요?

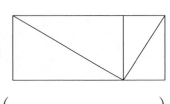

( )

20 (융합형) 우리 고장의 그림 지도를 보니 공원과 놀이터 부분은 각각 정사각형 모양입니다. 공원과 놀이터를 합친 곳의 둘레는 몇 m일까요?

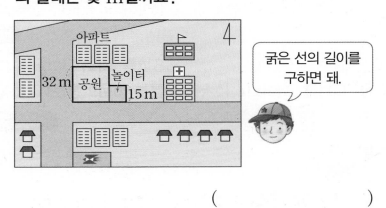
굵은 선의 길이를 구하면 돼.

( )

▶정답은 4쪽

3. 나눗셈

1 똑같이 나누기 (1)

딸기 10개를 접시 2개에 똑같이 나누어 놓으면 접시 1개에 딸기를 5개씩 놓게 됩니다.

나눗셈식 ➡ $10 \div 2 = 5$ ← 몫
　　　 └ 나누어지는 수　└ 나누는 수

읽기 10 나누기 2는 [❶　] 와 같습니다.

2 똑같이 나누기 (2)

딸기 8개를 2개씩 묶으면 4묶음이 됩니다.

➡ 뺄셈식: $8-2-2-2-2=$ [❷　]
　　　　　　④번 ← 2를 뺀 횟수 4가 나눗셈의 몫이 됩니다.
　 나눗셈식: $8 \div 2 = 4$ ← 몫

3 곱셈과 나눗셈의 관계

(1) 곱셈식을 나눗셈식으로 바꾸기

예 $6 \times 2 = 12$ 〈 $12 \div 6 = 2$
　　　　　　　 $12 \div 2 =$ [❸　]

(2) 나눗셈식을 곱셈식으로 바꾸기

예 $14 \div 2 = 7$ 〈 $2 \times 7 = 14$
　　　　　　　 $7 \times 2 =$ [❹　]

4 나눗셈의 몫을 곱셈식으로 구하기

곱셈식에서 곱하는 수 또는 곱해지는 수를 찾아 나눗셈의 몫을 구할 수 있습니다.

예 $15 \div 3 =$ [　]
　 $3 \times 5 = 15$ ➡ 몫은 5입니다.

5 나눗셈의 몫을 곱셈구구로 구하기

예 $28 \div 7$의 몫 구하기

7의 단 곱셈구구에서 곱이 28인 곱셈식을 찾아 몫을 구합니다.

$7 \times 4 = 28$ ➡ $28 \div 7 =$ [❺　]
　　　　　　　　　　　　　　 └ 몫

정답: ❶ 5　　❷ 0　　❸ 6　　❹ 14　　❺ 4

대표유형 ❶

색종이 24장을 6명이 똑같이 나누어 가지려고 합니다. 한 명이 몇 장씩 가지게 될까요?

풀이

색종이 24장을 6명이 한 장씩 번갈아 가면서 나누어 가지면 한 명이 $24 \div$ [　] $=$ [　] (장)씩 가지게 됩니다.

답 _____

대표유형 ❷

사탕 18개를 한 바구니에 3개씩 담으려고 합니다. 바구니 몇 개에 담을 수 있을까요?

풀이

사탕 18개를 3개씩 묶으면 [　] 묶음이 되므로 바구니 $18 \div$ [　] $=$ [　] (개)에 담을 수 있습니다.

답 _____

대표유형 ❸

곱셈식 $3 \times 8 = 24$를 보고 나눗셈식 2개로 바꿔 보세요.

풀이

$3 \times 8 = 24$　　　　$3 \times 8 = 24$

$24 \div$ [　] $=$ [　]　　[　] $\div$ [　] $=$ [　]

답 _____ , _____

대표유형 ❹

□ 안에 알맞은 수를 차례로 구하세요.

$5 \times$ [　] $= 35$ ➡ $35 \div 5 =$ [　]

풀이

5의 단 곱셈구구에서 $5 \times$ [　] $= 35$입니다.

따라서 $35 \div 5 =$ [　] 입니다.

답 _____ , _____

1 그림을 보고 □ 안에 알맞은 수를 써넣으세요.

$16 \div 8 = \boxed{}$

2 나눗셈의 몫이 5인 것에 ○표 하세요.

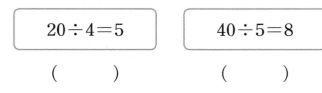

| $20 \div 4 = 5$ | $40 \div 5 = 8$ |

(   )   (   )

3 □ 안에 알맞은 수를 써넣으세요.

$30 - 6 - 6 - 6 - 6 - 6 = 0$

➡ $30 \div 6 = \boxed{}$

4 다음을 나눗셈식으로 나타내어 보세요.

> 장미 24송이를 한 명에게 4송이씩 주면 6명에게 나누어 줄 수 있습니다.

식 $\boxed{} \div 4 = \boxed{}$

5 나눗셈식을 곱셈식 2개로 바꿔 보세요.

$42 \div 6 = 7$

$\boxed{} \times \boxed{} = \boxed{}$

$\boxed{} \times \boxed{} = \boxed{}$

6 나눗셈식을 읽고 몫을 찾아 쓰세요.

$54 \div 6 = 9$

읽기 (   )

몫 (   )

7 투호 놀이는 병 속에 화살을 던져 넣는 민속놀이입니다. 화살 24개를 가지고 투호 놀이를 하려고 합니다. 한 명이 화살을 3개씩 던진다면 몇 명이 투호 놀이를 할 수 있을까요?

식 _____

답 _____

8 □ 안에 알맞은 수를 써넣으세요.

$8 \times \boxed{} = 32$ ➡ $32 \div 8 = \boxed{}$

9 정수네 반 학생 27명은 3모둠으로 똑같이 나누어 게임을 하려고 합니다. 한 모둠은 몇 명이 될까요?

식 _____

답 _____

융합형

10 다음 도넛을 친구들에게 똑같이 나누어 주려고 합니다. 친구 수에 따라 줄 수 있는 도넛의 수를 구해 보세요.

• 친구 3명에게 줄 때: 한 명에게 $\boxed{}$ 개

• 친구 7명에게 줄 때: 한 명에게 $\boxed{}$ 개

11 그림을 보고 곱셈식과 나눗셈식으로 나타내어 보세요.

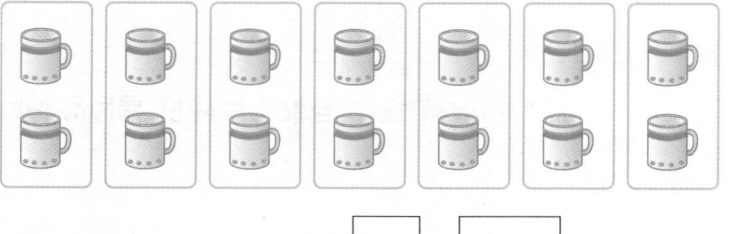

곱셈식 $2 \times \boxed{} = \boxed{}$ _____

나눗셈식 _____ , _____

12 나눗셈의 몫의 크기를 비교하여 ○ 안에 >, =, < 를 알맞게 써넣으세요.

$72 \div 8 \bigcirc 56 \div 7$

13 〔융합형〕 400 m 달리기 대회에 선수 48명이 출전하였습니다. 다음과 같이 한 번에 8명씩 달리는 트랙에서 예선전을 하면 경기를 모두 몇 번 해야 할까요? (단, 선수 1명은 예선전 경기를 1번 합니다.)

식 _____

답 _____

14 어떤 수를 9로 나누었더니 몫이 4가 되었습니다. 어떤 수는 얼마일까요?

(   )

15 다음과 같이 한 접시에 8개씩 담겨 있는 쿠키가 3접시 있습니다. 이 쿠키를 6명이 똑같이 나누어 먹으면 한 명이 몇 개씩 먹게 되는지 구하세요.

(   )

16 ㉡에 알맞은 수를 구하세요.

• $36 \div 6 = \boxed{㉠}$ • $\boxed{㉠} \div 3 = \boxed{㉡}$

(   )

17 〔추론〕 ㉠★㉡을 다음과 같이 약속할 때, 1★5를 계산하면 얼마일까요?

㉠★㉡=㉠㉡÷㉡   예 2★4=24÷4

(   )

18 사탕이 50개 있습니다. 그중에서 1개는 소라가 먹고, 나머지는 반 친구들에게 나누어 주려고 합니다. 한 명에게 7개씩 주면 몇 명에게 나누어 줄 수 있을까요?

(   )

19 〔문제 해결〕 길이가 56 m인 길의 한쪽에 8 m 간격으로 나무를 심으려고 합니다. 길의 시작과 끝에 모두 나무를 심을 때, 모두 몇 그루의 나무를 심게 될까요? (단, 나무의 두께는 생각하지 않습니다.)

8 m   ......
56 m

(   )

20 가로가 48 cm, 세로가 24 cm인 직사각형 모양의 도화지가 있습니다. 이 도화지를 잘라서 한 변이 6 cm인 정사각형 모양을 모두 몇 장 만들 수 있을까요?

48 cm
24 cm

(   )

[3단원]

1 사탕 25개를 5개씩 묶은 것입니다. 그림을 보고 나눗셈식으로 나타내어 보세요. 2점

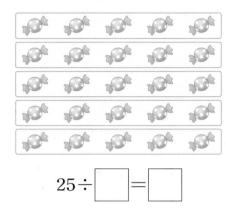

$$25 \div \boxed{} = \boxed{}$$

[2~3] 도형을 보고 물음에 답하세요.

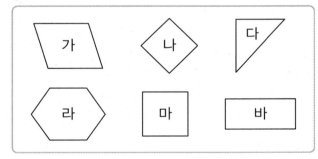

[2단원]

2 직각삼각형을 찾아 기호를 쓰세요. 2점

(   )

[2단원]

3 정사각형을 모두 찾아 기호를 쓰세요. 2점

(   )

[1단원]

4 빈칸에 알맞은 수를 써넣으세요. 2점

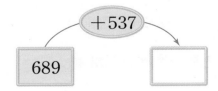

[3단원]

5 곱셈식을 나눗셈식 2개로 바꿔 보세요. 3점

$$3 \times 9 = 27$$

$$\boxed{} \div 3 = \boxed{}$$

$$\boxed{} \div \boxed{} = \boxed{}$$

[1단원]

6 계산에서 **잘못된** 부분을 찾아 바르게 계산하세요. 3점

$$\begin{array}{r} 7\ 3\ 4 \\ -\ 3\ 6\ 8 \\ \hline 4\ 7\ 6 \end{array} \quad \rightarrow$$

[3단원]

7 큰 수를 작은 수로 나눈 몫을 빈 곳에 써넣으세요. 3점

8	48

[1단원] 의사소통

8 다음을 보고 올해 순천만을 찾아온 흑두루미는 지난해보다 몇 마리 더 늘었는지 구하세요. 3점

천재 신문

순천만을 찾은 흑두루미 수 증가

순천만에 겨울 철새가 돌아왔습니다. 지난해 순천만에 온 흑두루미는 325마리였는데 올해는 511마리로 늘어났습니다.

(   )

[3단원]

9 ○ 안에 >, =, <를 알맞게 써넣으세요. 3점

$$3 \bigcirc 14 \div 7$$

[2단원]

10 직사각형에 대한 설명이 <u>아닌</u> 것은 어느 것일까요?

3점 ··· (   )

① 각이 4개입니다.
② 변이 4개입니다.
③ 네 각이 모두 직각입니다.
④ 네 변의 길이가 모두 같습니다.
⑤ 정사각형이라고 할 수 없습니다.

[1단원]

11 빈칸에 알맞은 수를 써넣으세요. 3점

−	748	863
	659	474

[3단원]

12 초콜릿 40개를 한 명이 5개씩 먹으려고 합니다. 몇 명이 나누어 먹을 수 있을까요? 3점

식 _____

답 _____

[2단원] 창의·융합

13 모눈종이에 사다리를 그렸습니다. 사다리 타기를 할 때 지나는 길을 따라 선분을 긋는다면, 그은 선분의 수가 가장 많은 사람은 누구일까요? 3점

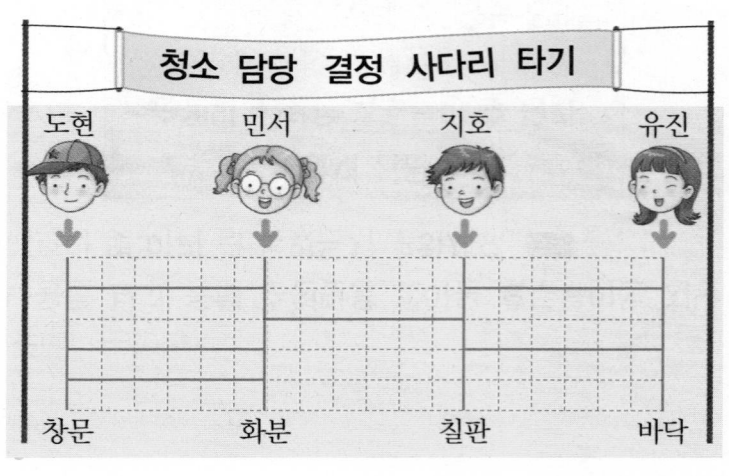

(   )

[1단원]

14 두 수의 합과 차를 각각 구하세요. 3점

589	743

합 (   )
차 (   )

[3단원]

15 56쪽짜리 책을 하루에 8쪽씩 매일 읽으려고 합니다. 이 책을 모두 읽으려면 며칠이 걸릴까요? 3점

(   )

[3단원]

16 길이가 24 cm인 철사를 겹치지 않게 모두 사용하여 가장 큰 정사각형 모양을 한 개 만들려고 합니다. 정사각형의 한 변의 길이를 몇 cm로 해야 할까요? 3점

(   )

[3단원]

17 □ 안에 들어갈 수가 더 작은 것을 찾아 기호를 쓰세요. 4점

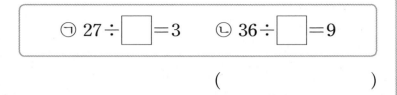

⊙ 27÷□=3   ⓒ 36÷□=9

(   )

[2단원]

18 각의 개수가 가장 많은 도형을 찾아 기호를 쓰세요. 4점

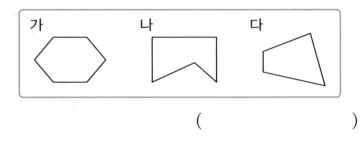

가   나   다

(   )

[1단원]

19 계산 결과가 큰 것부터 차례로 기호를 쓰세요. 4점

⊙ 923−245   ⓒ 275+967   ⓒ 878+423

(   )

[2단원]   융합형

20 은수는 직사각형 모양의 종이로 오른쪽과 같은 방패연을 만들었습니다. 방패연에서 찾을 수 있는 크고 작은 직각삼각형은 모두 몇 개일까요? 4점

(   )

[21~22] 사각형 ㄱㄴㄷㅇ과 사각형 ㅅㄷㄹㅂ은 정사각형입니다. 물음에 답하세요.

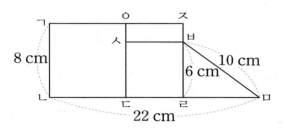

8 cm   6 cm   10 cm   22 cm

[2단원]

21 변 ㄹㅁ의 길이는 몇 cm일까요? 4점

(   )

[2단원]

22 직사각형 ㅇㅅㅂㅈ의 네 변의 길이의 합은 몇 cm일까요? 4점

(   )

[1단원]   서술형

23 0부터 9까지의 수 중에서 □ 안에 들어갈 수 있는 수는 모두 몇 개인지 풀이 과정을 쓰고 답을 구하세요. 4점

765−396 < 3□9

풀이 _____

_____

_____

답 _____

[3단원]

24 다음을 보고 도현이는 찹쌀떡을 몇 개 먹을 수 있는지 구하세요. 4점

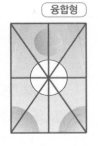

찹쌀떡 72개를 9상자에 똑같이 나누어 담았어.

한 상자에 담은 찹쌀떡은 우리 둘이 똑같이 나누어 먹자.

도현   민서

(   )

[3단원]　　　　　　　　　　　　　　　서술형

25 운동장에 학생들이 한 줄에 9명씩 4줄로 서 있습니다. 이 학생들이 다시 한 줄에 6명씩 줄을 서면 몇 줄이 되는지 풀이 과정을 쓰고 답을 구하세요. 4점

풀이 _____

_____

_____

답 _____

[3단원]

26 두 나눗셈의 몫은 같습니다. □ 안에 알맞은 수를 구하세요. 4점

$64 \div 8$　　　$72 \div \square$

(　　　　　　　)

[3단원]

27 6명이 학용품을 나누어 가지려고 합니다. 남김없이 똑같이 나누어 가질 수 있는 학용품은 모두 몇 가지일까요? (단, 학용품을 자르지 않고 나누어 가져야 합니다.) 4점

연필 14자루, 지우개 20개
볼펜 24자루, 색종이 10장
찰흙 36개, 도화지 42장

(　　　　　　　)

[2단원]

28 가로가 19 cm이고 세로가 16 cm인 직사각형 모양 종이의 한 쪽을 잘라서 가장 큰 정사각형을 만들었습니다. 만든 정사각형의 네 변의 길이의 합은 몇 cm일까요? 4점

(　　　　　　　)

[1단원]

29 어떤 세 자리 수의 백의 자리 숫자와 십의 자리 숫자를 서로 바꾼 후 바꾼 세 자리 수에 163을 더했더니 820이 되었습니다. 처음 세 자리 수를 구하세요. 4점

(　　　　　　　)

[1단원]

30 서로 다른 세 자리 수가 2개 있습니다. 두 수 중에서 큰 수의 백의 자리 숫자는 4, 일의 자리 숫자는 6이고 작은 수의 십의 자리 숫자는 9입니다. 두 수의 차가 138이라고 할 때 두 수를 각각 구하세요. 4점

(　　　　　　　), (　　　　　　　)

1 [2단원]
직선을 찾아 기호를 쓰세요. 2점

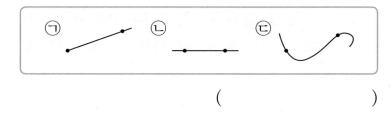

( )

2 [2단원]
각의 꼭짓점을 찾아 쓰세요. 2점

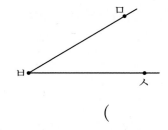

( )

3 [1단원]
계산해 보세요. 2점

$$\begin{array}{r} 8\ 3\ 1 \\ -\ 3\ 9\ 2 \\ \hline \end{array}$$

4 [3단원]
뺄셈식을 나눗셈식으로 나타내어 보세요. 2점

$$15-3-3-3-3-3=0$$

→ ☐ ÷ ☐ = ☐

5 [2단원]
직각의 개수가 가장 많은 도형은 어느 것일까요? 3점

( )

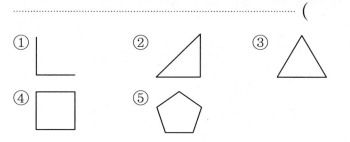

6 [1단원]
수 모형이 나타내는 수보다 236 더 큰 수를 구하세요. 3점

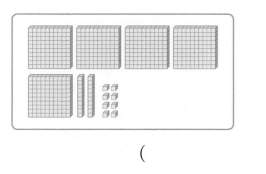

( )

7 [3단원]
그림을 보고 곱셈식과 나눗셈식으로 나타내어 보세요. 3점

곱셈식 _____

나눗셈식 _____ , _____

8 [1단원]
민서와 지호가 가지고 있는 색 테이프의 길이의 차는 몇 cm일까요? 3점

난 색 테이프를 416 cm만큼 가지고 있어.

나는 341 cm만큼 가지고 있는데…….

민서   지호

( )

9 [3단원] 　　　　　　　　　　　　　　　 문제 해결
신문지 한 장으로 종이배 4개를 만들 수 있습니다. 종이배 36개를 만들려면 신문지 몇 장이 필요할까요? 3점

(　　　　　　　　)

10 [2단원]
모눈종이에 주어진 선분을 한 변으로 하는 정사각형을 그려 보세요. 3점

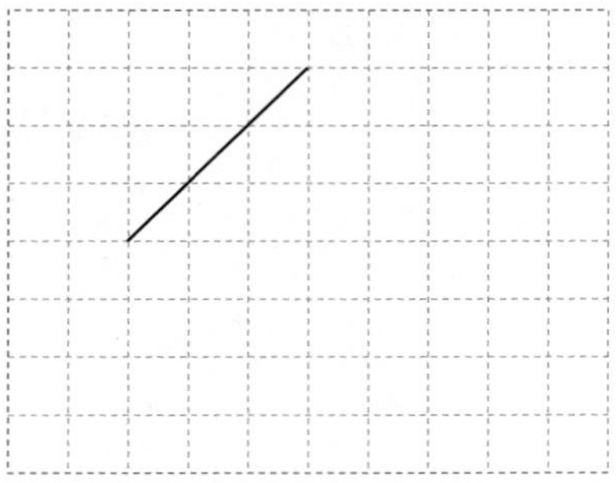

11 [3단원]
몫이 더 큰 것을 찾아 기호를 쓰세요. 3점

| ㉠ $54 \div 9$　　㉡ $35 \div 7$ |

(　　　　　　　　)

12 [2단원]
그림과 같이 직사각형 모양의 종이를 점선을 따라 자르면 어떤 삼각형이 몇 개 생길까요? 3점

(　　　　　　), (　　　　　　)

13 [1단원]
유진이네 집에서 만두를 300개 만들려고 합니다. 어머니께서 188개를 만드셨다면 앞으로 만두를 몇 개 더 만들어야 할까요? 3점

(　　　　　　　　)

14 [1단원]
다음 수 중에서 2개를 골라 덧셈식을 만들려고 합니다. □ 안에 알맞은 수를 써넣으세요. 3점

| 351　　　217　　　369 |

$$\boxed{} + \boxed{} = 586$$

15 [1단원] 　　　　　　　　　　　　　　　 서술형
㉠에 알맞은 수를 구하려고 합니다. 풀이 과정을 쓰고 답을 구하세요. 3점

$$485 + ㉠ = 932$$

풀이 _____

_____

_____

_____

답 _____

16 [1단원]
정우는 빨간 구슬 173개, 파란 구슬 486개를 가지고 있고 세연이는 구슬을 590개 가지고 있습니다. 정우와 세연이 중에서 누가 구슬을 몇 개 더 많이 가지고 있을까요? 3점

(　　　　　　), (　　　　　　)

17 [2단원] 직사각형 모양 밭의 둘레에 겹치지 않게 철근을 놓았습니다. 철근의 길이는 모두 몇 m인지 구하세요. 4점

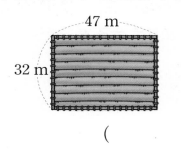

47 m

32 m

(   )

18 [3단원] 남학생 48명은 6인승 보트에 나누어 타고, 여학생 64명은 8인승 보트에 나누어 탔습니다. 학생들이 탄 보트는 모두 몇 대일까요? 4점

(   )

19 [2단원] 도형이 정사각형이 <u>아닌</u> 이유를 2가지 쓰세요. 4점 　서술형

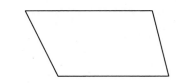

이유 ①

②

20 [2단원] 설명이 잘못된 것은 어느 것일까요? 4점 … (   )

① 직각삼각형에는 직각이 1개 있습니다.
② 정사각형은 네 각이 모두 직각입니다.
③ 정사각형은 직사각형이라고 할 수 있습니다.
④ 직사각형은 네 변의 길이가 모두 같습니다.
⑤ 각에는 변이 2개 있습니다.

21 [2단원] 　서술형
길이가 72 cm인 철사를 겹치지 않게 모두 사용하여 크기가 같은 정사각형 모양을 9개 만들려고 합니다. 정사각형의 한 변을 몇 cm로 해야 하는지 풀이 과정을 쓰고 답을 구하세요. 4점

풀이

답

22 [1단원] 세 자리 수의 뺄셈식에서 일부가 지워졌습니다. ㉠, ㉡, ㉢에 알맞은 숫자를 각각 구하세요. 4점

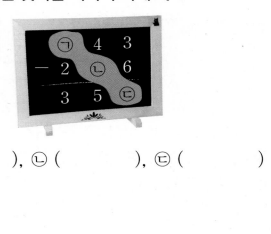

㉠ (   ), ㉡ (   ), ㉢ (   )

23 [3단원] ☐ 안의 수가 가장 큰 것을 찾아 기호를 쓰세요. 4점

㉠ 8÷4=☐　　　㉡ 21÷☐=3
㉢ 18÷2=☐　　　㉣ 16÷☐=4

(   )

[3단원]

24 두 장의 수 카드를 골라 몫이 가장 큰 나눗셈식을 만들려고 합니다. □ 안에 알맞은 수를 써넣고 몫을 구하세요. 4점

| 8 | 6 | 24 | 30 |

$$\boxed{} \div \boxed{} \rightarrow \text{몫} ( )$$

[2단원]

25 그림에서 찾을 수 있는 크고 작은 직사각형은 모두 몇 개일까요? 4점

( )

[3단원]

26 어떤 수를 6으로 나누었더니 몫이 4가 되었습니다. 어떤 수를 8로 나누면 몫은 얼마일까요? 4점

( )

[3단원]

27 정아는 38쪽짜리 동화책을 모두 읽으려고 합니다. 하루에 7쪽씩 4일 동안 읽었다면 나머지는 5쪽씩 며칠 동안 읽어야 할까요? 4점

( )

[1단원]

28 □ 안에 들어갈 수 있는 수 중에서 가장 큰 수를 구하세요. 4점

$$486 + 127 < 911 - \boxed{}$$

( )

[3단원]

29 성효는 철사를 겹치지 않게 사용하여 다음과 같이 직사각형을 만들었습니다. 이 철사를 편 후 다시 구부려서 만들 수 있는 가장 큰 정사각형의 한 변의 길이는 몇 cm일까요? 4점

11 cm

7 cm

( )

[1단원]

30 기호 ◆에 대하여 ■◆● = ■ + ■ - ●라고 약속할 때 다음을 계산하세요. 4점

$$316 ◆ 457$$

( )

요점만화

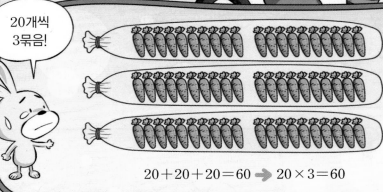

$$20+20+20=60 \Rightarrow 20 \times 3 = 60$$

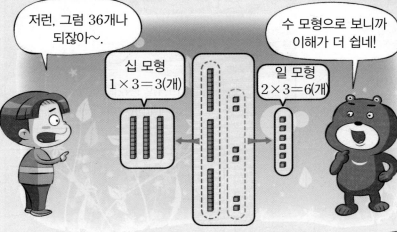

그럼 혹시 이 요상한 물건을 빠트린 게 너희들이냐?

그건 시간을 나타내는 시계예요.

초바늘이 작은 눈금 한 칸을 지나는 데 1초가 걸리고요.

초바늘이 시계 한 바퀴를 도는 데 60초가 걸려요!

작은 눈금 한 칸 = 1초

60초 = 1분

너희들이 나를 깨운 시각이 1시 20분인데 벌써 5분 30초가 지났구나.

그럼 지금 시각은 1시 25분 30초군요!

$$\begin{array}{r} 1시 \quad 20분 \\ + \quad\quad 5분 \quad 30초 \\ \hline 1시 \quad 25분 \quad 30초 \end{array}$$

시는 시끼리, 분은 분끼리, 초는 초끼리 맞추어 쓴 후 더합니다.

근데 너희들 혹시 보물을 찾으러 왔니?

네!!

훗~ 보물의 크기가 얼마나 되는 줄 알고 가져갈 생각을 하느냐?

설마 1 cm를 10칸으로 똑같이 나눈 작은 눈금 한 칸의 길이인 1 mm는 아니겠지요?!

아니다!

1 mm

0   1

그럼 설마 1 km나 되는 건가요?

그것도 아니지.

그럼 2 cm 4 mm인가?

혹시 1 cm 3 mm?

0   1 km
0 100 200 300 400 500 600 700 800 900 1000 m

1000 m = 1 km

헤헷, 그럼 13 mm인 거 아냐?

1 cm 3 mm 랑 같잖아. 뭐하냐……

그러니까 대체 크기가 얼마나 되냐고요!!!!

비밀이다. 훗!

지금 장난하시나?

13 mm = 10 mm + 3 mm
      = 1 cm + 3 mm
      = 1 cm 3 mm

▶정답은 9쪽

4. 곱셈

① (몇십)×(몇)

$$30 \times 2 = 60$$
$$3 \times 2 = 6$$

(몇)×(몇)의 계산 결과 뒤에 **❶**[ ]을 1개 씁니다.

② (몇십몇)×(몇) (1) ─ 올림이 없는 계산

```
    2 3            2 3
 ×    2         ×    2
    6 6            4 6
```

① 일의 자리 수 3과 2의 곱 6을 일의 자리에 씁니다.
② 십의 자리 수 2와 2의 곱 **❷**[ ]를 십의 자리에 씁니다.

③ (몇십몇)×(몇) (2) ─ 십의 자리에서 올림이 있는 계산

```
    4 2            4 2
 ×    4         ×    4
    8 8          1 6 8
```

① 일의 자리 수 2와 4의 곱 8을 일의 자리에 씁니다.
② 십의 자리 수 4와 4의 곱 16에서 6을 십의 자리에 쓰고 1을 **❸**[ ]의 자리에 씁니다.

④ (몇십몇)×(몇) (3) ─ 일의 자리에서 올림이 있는 계산

```
          2
    1 7            1 7
 ×    4         ×    4
    2 8            6 8
```

① 일의 자리를 계산한 값 28에서 8을 일의 자리에 씁니다.
② 십의 자리를 계산한 값 40에 일의 자리에서 올림한 수 20을 더하여 십의 자리에 **❹**[ ]을 씁니다.

⑤ (몇십몇)×(몇) (4) ─ 십, 일의 자리에서 올림이 있는 계산

```
                    1
    5 8            5 8
 ×    2         ×    2
    1 6          1 1 6
```

① 일의 자리를 계산한 값 16에서 6을 일의 자리에 씁니다.
② 십의 자리를 계산한 값 100과 일의 자리에서 올림한 수 10을 더하여 십의 자리에 **❺**[ ]을 쓰고 백의 자리에 1을 씁니다.

정답: **❶** 0   **❷** 4   **❸** 백   **❹** 6   **❺** 1

대표유형 ❶

㉠, ㉡, ㉢에 알맞은 수를 구하세요.

$$40 \times 3 = \boxed{㉠}\boxed{㉡}\boxed{㉢}$$

풀이

$4 \times 3 = \boxed{}$ ➡ ㉠=1, ㉡=$\boxed{}$

(몇십)×(몇)의 계산은 (몇)×(몇)의 계산 결과 뒤에 0을 $\boxed{}$개 쓰면 되므로 $40 \times 3 = \boxed{}$입니다.

➡ ㉢=$\boxed{}$

답 ㉠: _____ , ㉡: _____ , ㉢: _____

대표유형 ❷

두 수의 곱을 구하세요.

| 3 | 28 |

풀이

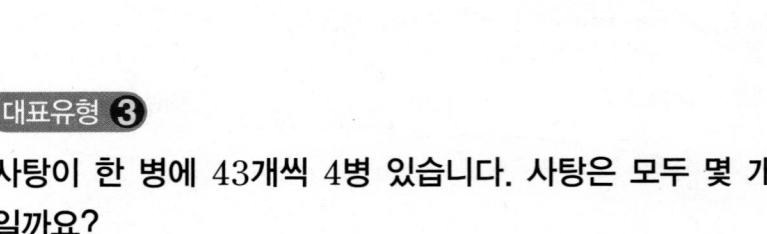

답 _____

대표유형 ❸

사탕이 한 병에 43개씩 4병 있습니다. 사탕은 모두 몇 개일까요?

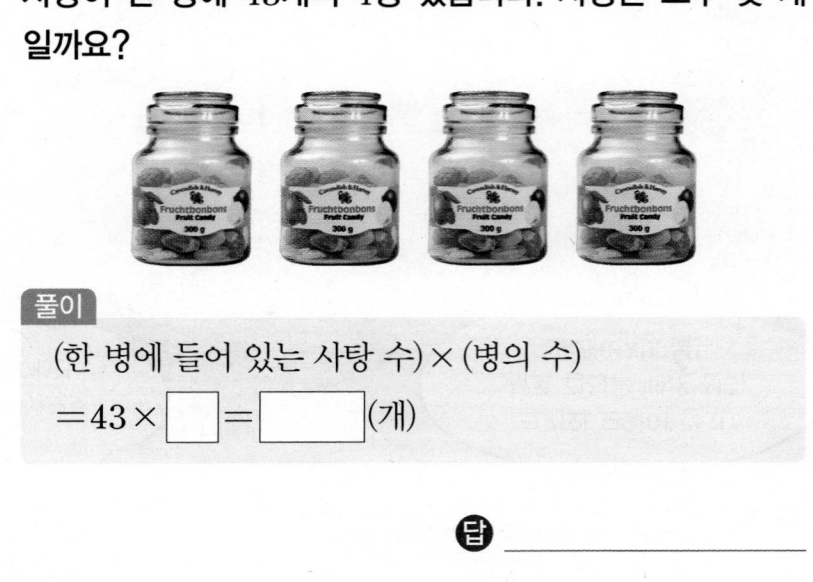

풀이

(한 병에 들어 있는 사탕 수)×(병의 수)
$$= 43 \times \boxed{} = \boxed{} (개)$$

답 _____

1 □ 안에 알맞은 수를 써넣으세요.

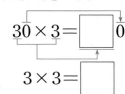

$30 \times 3 =$ ☐ 0

$3 \times 3 =$ ☐

2 토마토가 한 봉지에 11개씩 6봉지 있습니다. □ 안에 알맞은 수를 써넣으세요.

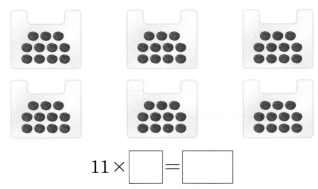

$11 \times$ ☐ $=$ ☐

3 □ 안에 알맞은 수를 써넣으세요.

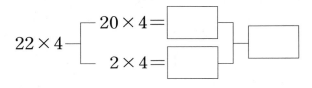

22×4 ┌ $20 \times 4 =$ ☐
         └ $2 \times 4 =$ ☐

4 계산해 보세요.

(1)
$$\begin{array}{r} 1\ 2 \\ \times\quad 3 \\ \hline \end{array}$$

(2)
$$\begin{array}{r} 6\ 1 \\ \times\quad 4 \\ \hline \end{array}$$

5 빈칸에 알맞은 수를 써넣으세요.

52 → ×4 → ☐

6 계산에서 잘못된 부분을 찾아 바르게 계산해 보세요.

$$\begin{array}{r} 1\ 4 \\ \times\quad 7 \\ \hline 7\ 8 \end{array}$$ →

7 창의·융합

달걀의 종류와 무게를 나타낸 것입니다. 특란 3개의 무게는 모두 몇 g일까요?

무게의 단위, '그램'이라고 읽습니다.

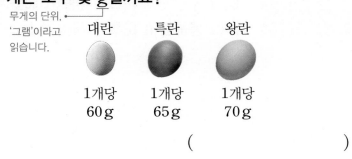

대란 1개당 60g   특란 1개당 65g   왕란 1개당 70g

(   )

8 크기를 비교하여 ○ 안에 >, =, <를 알맞게 써넣으세요.

40×2 ○ 100

9 계산 결과를 찾아 선으로 이어 보세요.

21×6 •   • 128

16×8 •   • 126

10 민지네 학교 3학년 학생들은 버스 한 대에 30명씩 7대를 타고 체험 학습을 갔습니다. 체험 학습을 간 3학년 학생은 모두 몇 명일까요?

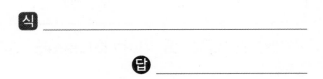

식 _____

답 _____

11 꽃게가 한 상자에 73마리씩 3상자 있습니다. 꽃게는 모두 몇 마리일까요?

73마리 73마리 73마리

( )

12 ㉠에 알맞은 수를 구하세요.

11 →×4→ □ →×3→ ㉠

( )

13 과녁 맞히기 놀이에서 준혁이는 12점에 6번 맞혔습니다. 준혁이가 얻은 점수는 모두 몇 점일까요?

( )

14 곱이 더 큰 것의 기호를 쓰세요.

㉠ 31×3   ㉡ 47×2

( )

15 하루는 24시간입니다. 일주일은 몇 시간일까요?

식 _____

답 _____

16 추론

다음을 보고 할아버지의 나이는 몇 살인지 구하세요.

- 현수: 나는 10살입니다.
- 형: 나는 현수보다 3살이 더 많습니다.
- 할아버지: 나의 나이는 현수 형 나이의 6배 입니다.

( )

17 어떤 수에 3을 곱해야 할 것을 잘못하여 더했더니 32가 되었습니다. 바르게 계산한 값은 얼마일까요?

( )

18 종수네 농장에 오리 62마리와 양 19마리가 있습니다. 오리와 양의 다리는 모두 몇 개일까요?

( )

19 융합형

오른쪽 바둑판에 놓인 바둑돌을 다시 한 줄에 19개씩 놓으려고 합니다. 19개씩 놓인 줄은 최대한 몇 줄까지 놓을 수 있을까요?

( )

20 수 카드 5 , 4 , 6 을 한 번씩만 사용하여 곱이 가장 큰 (몇십몇)×(몇)의 곱셈식을 만들어 계산해 보세요.

곱셈식 _____

▶정답은 11쪽

5. 길이와 시간

1 1 cm보다 작은 단위, 1 m보다 큰 단위

(1) 1 cm(□)를 10칸으로 똑같이 나누었을 때 (▥) 작은 눈금 한 칸의 길이(·)를 1 mm라 쓰고 1 **밀리미터**라고 읽습니다.

$$1\,cm = \boxed{❶}\ mm$$

(2) 1000 m를 1 km라 쓰고 1 **킬로미터**라고 읽습니다.

2 길이와 거리를 어림하고 재어 보기

(1) 자 없이 길이를 어림하여 어림한 길이를 말할 때에는 약 몇 cm 몇 mm 또는 약 몇 mm라고 표현합니다.

(2) 학교 서점 우체국

약 500 m

학교에서 우체국까지의 거리는 학교에서 서점까지의 거리의 2배이므로 약 500 m의 2배인 약 $\boxed{❷}$ km입니다.

3 1분보다 작은 단위

(1) 1초: 초바늘이 작은 눈금 한 칸을 지나는 데 걸리는 시간

(2) 60초: 초바늘이 시계를 한 바퀴 도는 데 걸리는 시간
$$(= \boxed{❸}\ 분)$$

4 시간의 덧셈과 뺄셈

(1) 2시 35분 20초에서 40분 50초 후의 시각 구하기

```
   2시      35 분     20초
 +          40 분     50초
 ─────────────────────────
   2시      75 분     70초
            +1  분  ← −60초
  +1 시간  ← −60  분
 ─────────────────────────
   3시    ❹      분   10초
```
60초를 1분으로, 60분을 1시간으로 받아올림하여 계산합니다.

(2) 6시 10분 10초에서 14분 26초 전의 시각 구하기

```
          →60
    5    9    →60
   6시   10 분   10초
 −        14 분   26초
 ─────────────────────
   5시  ❺     분   44초
```
1분을 60초로, 1시간을 60분으로 받아내림하여 계산합니다.

정답: ❶ 10   ❷ 1   ❸ 1   ❹ 16   ❺ 55

대표유형 ❶

머리핀의 길이는 몇 mm인지 구하세요.

풀이

머리핀의 길이는 4 cm □ mm입니다.

1 cm = 10 mm이므로 머리핀의 길이는

4 cm □ mm = □ mm입니다.

답 _____

대표유형 ❷

수직선에서 ㉠은 몇 km 몇 m일까요?

7 km   ㉠   8 km

풀이

1 km를 10칸으로 똑같이 나눈 작은 눈금 한 칸의 길이는 □ m입니다.

➡ ㉠ = 7 km + □ m = 7 km □ m

답 _____

대표유형 ❸

두 시간의 차를 구하세요.

10분 24초, 5분 52초

풀이

```
        □      □
      10 분   24 초
 −     5 분   52 초
 ─────────────────
        □ 분   □ 초
```

답 _____

1 연필의 길이는 몇 cm 몇 mm일까요?

☐ cm ☐ mm

2 시각을 읽어 보세요.

☐ 시 ☐ 분 ☐ 초

3 계산해 보세요.

$$13분\ 25초$$
$$+\ \ 2분\ 11초$$

창의·융합

4 지도를 보고 학교에서 약 1 km 떨어진 곳에 있는 장소를 모두 쓰세요.

서점
공원
병원
학교
약 500 m
소방서

(   )

5 시간의 길이를 비교하여 ○ 안에 >, =, <를 알맞게 써넣으세요.

552초 ◯ 9분 22초

6 ☐ 안에 알맞은 단위를 찾아 선으로 이어 보세요.

소시지의 길이: 약 15 ☐ •   • mm

산책길의 길이: 약 2 ☐ •   • cm

친구의 발 길이: 약 210 ☐ •   • km

7 과자의 긴 쪽의 길이는 몇 mm일까요?

7 cm 2 mm

(   )

8 길이가 더 긴 것의 기호를 쓰세요.

㉠ 3790 m   ㉡ 3 km 800 m

(   )

서술형

9 1초를 넣어 문장을 만들어 보세요.

문장 _____

_____

10 잘못된 것은 어느 것일까요? ········· (   )

① 100 mm＝10 cm
② 3000 m＝30 km
③ 6009 m＝6 km 9 m
④ 470 mm＝47 cm
⑤ 2 km 50 m＝2050 m

11 길이가 1 km보다 긴 것을 찾아 기호를 쓰세요. 추론

> ㉠ 수첩의 두께   ㉡ 2층 건물의 높이
> ㉢ 거실 긴 쪽의 길이   ㉣ 지리산의 높이

(   )

12 책을 옮기는 데 다음과 같이 시간이 걸렸습니다. 경미와 소아 중 책을 누가 더 빨리 옮겼을까요?

경미	소아
5분 30초	325초

(   )

13 할아버지 댁에 가기 위해 버스를 2시간 15분 동안 타고 기차를 1시간 40분 동안 탔습니다. 버스와 기차를 탄 시간은 모두 몇 시간 몇 분일까요?

(   )

14 상우가 1시간 34분 20초 동안 영화를 보고 시계를 보았더니 8시 48분 53초였습니다. 상우가 영화를 보기 시작한 시각은 몇 시 몇 분 몇 초일까요?

(   )

15 오른쪽 시계가 나타내는 시각에서 2시간 35분 후의 시각은 몇 시 몇 분 몇 초일까요?

(   )

16 오른쪽 정사각형의 네 변의 길이의 합은 몇 cm 몇 mm일까요?

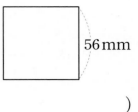

56 mm

(   )

17 □ 안에 알맞은 수를 써넣으세요.

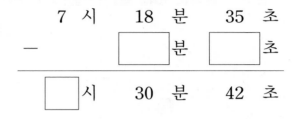

18 대화를 읽고 2교시 수업이 끝나는 시각은 오전 몇 시 몇 분인지 구하세요. 의사소통

> 우리 학교는 40분 동안 수업을 하고 10분씩 쉬어.

> 1교시 수업을 오전 9시에 시작해.

민서   유진

(   )

19 문구점에서 학교까지의 거리는 몇 km 몇 m일까요?

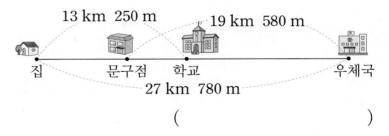

13 km 250 m   19 km 580 m

집   문구점   학교   우체국

27 km 780 m

(   )

20 하루에 8분씩 일정하게 늦어지는 고장난 시계가 있습니다. 이 시계를 오늘 오전 7시에 정확히 맞추어 놓았습니다. 내일 오후 7시에 이 시계는 몇 시 몇 분을 가리킬까요?

(   )

▶정답은 12쪽

6. 분수와 소수

① 똑같이 나누기

똑같이 둘로　　똑같이 셋으로　　똑같이 **❶**□으로

② 분수 알아보기

전체를 똑같이 5로 나눈 것의 2

➡ 쓰기 $\dfrac{2}{5}$　　읽기 5분의 2

분수: $\dfrac{1}{2}$, $\dfrac{2}{3}$, $\dfrac{2}{5}$와 같은 수　　$\dfrac{2}{5}$ ←분자 ←분모

③ 분수의 크기 비교하기

(1) 분모가 같은 분수는 분자가 클수록 큰 분수입니다.

예 $4>2$ ➡ $\dfrac{4}{5}>\dfrac{2}{5}$

(2) 단위분수는 분모가 클수록 **❷**□ 분수입니다.

예 $3<5$ ➡ $\dfrac{1}{3}>\dfrac{1}{5}$

단위분수: 분수 중에서 $\dfrac{1}{2}$, $\dfrac{1}{3}$, $\dfrac{1}{4}$, $\dfrac{1}{5}$……과 같이 분자가 1인 분수

④ 소수 알아보기

(1) 분모가 10인 분수를 소수로 알아보기

$\dfrac{1}{10}$ ─ 쓰기 0.1 ／ 읽기 영 점 일

$\dfrac{3}{10}$ ─ 쓰기 **❸**□ ／ 읽기 영 점 삼

0.1, 0.2, 0.3과 같은 수를 소수라 하고 '.'을 소수점이라고 합니다.

(2) 자연수와 소수로 이루어진 소수 알아보기

4와 0.6만큼 ➡ 쓰기 4.6 ／ 읽기 **❹**□

⑤ 소수의 크기 비교하기

(1) 자연수의 크기가 다르면 자연수의 크기가 큰 소수가 더 큽니다. 예 $3.7>2.9$

(2) 자연수의 크기가 같으면 소수의 크기가 큰 소수가 더 큽니다. 예 $0.3<0.5$, 8.5 **❺**◯ 8.1

정답: ❶ 넷　　❷ 작은　　❸ 0.3　　❹ 사 점 육　　❺ >

대표유형 ❶

분수에 맞게 색칠한 사람의 이름을 쓰세요.

$\dfrac{4}{6}$　　미희　　수지

풀이

전체를 똑같이 6으로 나눈 것 중의 미희는 □(을)를 색칠하였으므로 $\dfrac{□}{6}$, 수지는 □(을)를 색칠하였으므로 $\dfrac{□}{6}$입니다.

➡ 분수에 맞게 색칠한 사람은 □입니다.

답 _____

대표유형 ❷

더 큰 분수를 찾아 쓰세요.

$\dfrac{1}{9}$　　$\dfrac{1}{2}$

풀이

단위분수는 분모가 (클수록, 작을수록) 큰 분수입니다.

➡ $9>2$이므로 더 큰 분수는 □입니다.

답 _____

대표유형 ❸

나타내는 소수가 다른 하나를 찾아 기호를 쓰세요.

㉠ 3.8　　㉡ 0.1이 38개인 수　　㉢ 삼 점 구

풀이

㉡ 0.1이 38개인 수는 □입니다.

㉢ 삼 점 구는 □입니다.

따라서 나타내는 소수가 다른 하나는 □입니다.

답 _____

1 □ 안에 알맞은 수를 써넣으세요.

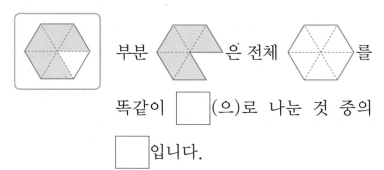

부분   은 전체   를

똑같이 □ (으)로 나눈 것 중의

□ 입니다.

2 똑같이 넷으로 나눈 도형이 <u>아닌</u> 것을 찾아 기호를 쓰세요.

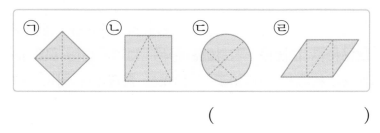

(   )

3 주어진 분수만큼 색칠하고, ○ 안에 >, =, <를 알맞게 써넣으세요.

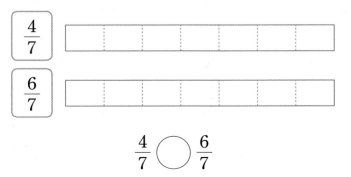

$\frac{4}{7}$ ○ $\frac{6}{7}$

4 □ 안에 알맞은 소수를 써넣으세요.

(1) 3 mm = □ cm

(2) 7 cm 6 mm = □ cm

5 $\frac{5}{9}$만큼 색칠해 보세요.

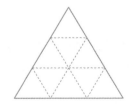

6 소수를 잘못 읽은 것은 어느 것일까요? ········(   )

① 0.2 ➡ 영 점 이   ② 1.9 ➡ 십 점 구

③ 0.5 ➡ 영 점 오   ④ 2.4 ➡ 이 점 사

⑤ 6.8 ➡ 육 점 팔

7 다트판에서 선물을 받을 수 있는 부분은 전체의 얼마인지 분수로 나타내어 보세요.

(   )

8 더 작은 분수를 찾아 쓰세요.

$\frac{1}{8}$ $\frac{1}{4}$

(   )

9 소수의 크기를 <u>잘못</u> 비교한 것을 찾아 기호를 쓰세요.

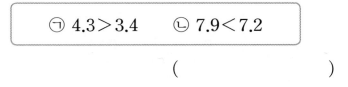

㉠ 4.3 > 3.4   ㉡ 7.9 < 7.2

(   )

창의·융합

10 전체에 알맞은 도형을 모두 찾아 기호를 쓰세요.

전체를 똑같이 6으로 나눈 것 중의 3입니다.

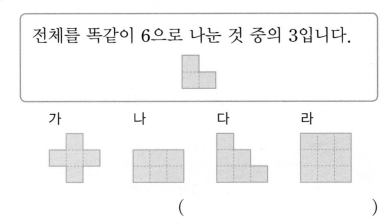

가   나   다   라

(   )

11 승재는 9 cm보다 2 mm 더 긴 선분을 그렸습니다. 승재가 그린 선분은 몇 cm인지 소수로 나타내어 보세요.

(   )

12 1컵을 전체로 보았을 때 기름과 물은 각각 전체의 얼마인지 분수로 나타내어 보세요.

기름 (   )
물 (   )

13 $\frac{8}{10}$에 가장 가까운 수는 어느 것일까요? ……(   )

① $\frac{2}{10}$ ② 0.4   ③ $\frac{5}{10}$

④ 0.7   ⑤ 1

14 희진이는 케이크를 똑같이 10조각으로 나누어 3조각씩 2번 먹었습니다. 남은 케이크는 전체의 얼마인지 소수로 나타내어 보세요.

(   )

15 [융합형] 민서와 도현이가 각각 피자를 한 판씩 가지고 있습니다. 민서의 피자 한 판이 도현이의 피자 한 판보다 더 크다면 누구의 말이 맞을까요?

> 나는 $\frac{1}{2}$을 먹었으니까 너보다 더 많이 먹었어.
> 민서

> 나도 $\frac{1}{2}$을 먹었으니까 너랑 똑같이 먹은 거야.
> 도현

(   )

16 가장 큰 분수를 찾아 쓰세요.

$\frac{13}{28}$ $\frac{21}{28}$ $\frac{9}{28}$

(   )

17 □ 안에 들어갈 수 있는 자연수를 모두 구하세요.

$$\frac{1}{10} < \frac{1}{\square} < \frac{1}{6}$$

(   )

18 [문제 해결] 인영이와 성진이는 각각 똑같은 양의 우유를 한 병씩 가지고 있습니다. 인영이는 전체의 $\frac{7}{8}$을 마셨고, 성진이는 전체의 $\frac{6}{7}$을 마셨습니다. 우유가 더 많이 남은 사람은 누구일까요?

(   )

19 $\frac{3}{10}$보다 크고 0.1이 8개인 수보다 작은 소수 0.■ 중에서 가장 큰 수를 구하세요. (단, ■는 한 자리 수입니다.)

(   )

20 김밥 한 줄이 있습니다. 정민이는 전체의 $\frac{4}{9}$를 먹었고, 준수는 전체의 $\frac{2}{9}$를 먹었습니다. 남은 김밥을 승기가 모두 먹었다면 김밥을 가장 적게 먹은 사람은 누구일까요?

(   )

[6단원]
1 똑같이 나누어진 것을 찾아 ○표 하세요. `2점`

(   )   (   )   (   )

[4단원]
2 ▌보기▌와 같은 방법으로 곱셈을 하세요. `2점`

```
┌─ 보기 ─┐        1 6
│   2 4  │      ×   5
│ ×   3  │
│   1 2  │
│   6 0  │
│   7 2  │
└────────┘
```

[5단원]
3 시각을 읽어 보세요. `2점`

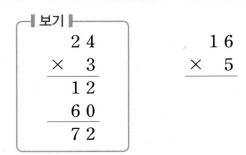

[   ] 시 [   ] 분 [   ] 초

[6단원]
4 □ 안에 알맞은 소수를 써넣으세요. `2점`

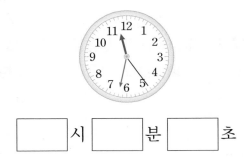

[   ] km

[4단원]
5 빈칸에 알맞은 수를 써넣으세요. `3점`

[6단원]
6 어느 펭귄의 키는 0.1 m가 7개인 길이와 같습니다. 펭귄의 키는 몇 m일까요? `3점`

(   )

[5단원]
7 길이가 더 긴 것의 기호를 쓰세요. `3점`

┌─────────────────────────────────┐
│ ㉠ 7 cm 3 mm   ㉡ 70 밀리미터 │
└─────────────────────────────────┘

(   )

[6단원]
8 색칠한 부분이 나타내는 분수를 □ 안에 각각 써넣고, 두 분수의 크기를 비교하여 ○ 안에 >, =, <를 알맞게 써넣으세요. `3점`

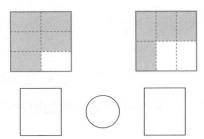

[   ] ○ [   ]

9 [4단원] 계산 결과가 더 큰 것을 찾아 기호를 쓰세요. 3점

> ㉠ 30의 6배   ㉡ 65+65+65

( )

10 [5단원] 만화 영화가 4시 30분에 시작하여 1시간 15분 후에 끝났습니다. 만화 영화가 끝난 시각은 몇 시 몇 분일까요? 3점

( )

11 [6단원] 어머니의 쪽지를 보고 지선이는 리본을 몇 mm씩 잘라야 하는지 구하세요. 3점   의사소통

> 지선아,
> 책상 위에 있는 리본을 12.4 cm씩 잘라서 서랍에 넣어 두렴.

( )

12 [6단원] 가장 작은 분수를 찾아 쓰세요. 3점

> $\dfrac{1}{10}$ $\dfrac{1}{20}$ $\dfrac{1}{3}$

( )

13 [6단원] 악보를 보고 ㉮마디는 전체 마디의 얼마인지 분수로 나타내어 보세요. 3점   융합형

※ 마디: 악보에서 세로줄로 구분되어 있는 악곡의 가장 작은 단위

( )

14 [6단원] 나타내는 수가 3인 것을 찾아 ○표 하세요. 3점

> 0.1이 27개인 수   ( )

> $\dfrac{1}{10}$이 30개인 수   ( )

> 3과 0.1만큼인 수   ( )

15 [4단원] ☐ 안에 알맞은 수를 구하세요. 3점

> $60 \times 5 = 75 \times \boxed{}$

( )

16 [4단원] ☐ 안에 알맞은 숫자를 써넣으세요. 3점

$$\begin{array}{r} \boxed{}\,7 \\ \times \quad 8 \\ \hline 2\,9\,\boxed{} \end{array}$$

17 [5단원]
□ 안에 알맞은 수를 써넣으세요. 4점

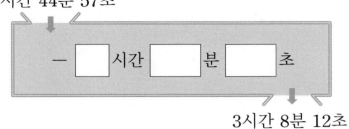

6시간 44분 57초

− [ ]시간 [ ]분 [ ]초

3시간 8분 12초

18 [5단원]
경아는 31 km 떨어져 있는 할머니 댁에 갔습니다. 30 km 200 m는 버스를 타고, 나머지는 걸어서 갔습니다. 경아는 몇 m를 걸었을까요? 4점

( )

19 [4단원] 서술형
수 카드 3 , 6 , 8 을 한 번씩만 사용하여 곱이 가장 작은 (몇십몇)×(몇)을 만들었을 때 계산 결과는 얼마인지 풀이 과정을 쓰고 답을 구하세요. 4점

풀이 _____

_____

_____

_____

답 _____

20 [6단원]
재운이네 밭 전체의 0.3에 감자를 심고, 전체의 $\frac{4}{10}$에 배추를 심었습니다. 감자와 배추를 심고 남은 밭은 전체의 얼마인지 소수로 나타내어 보세요. 4점

( )

21 [5단원]
수지는 서울에서 출발하는 버스를 2시간 58분 동안 타고 어느 도시로 갔습니다. 구미와 강릉 중에서 수지가 간 도시는 어디일까요? 4점

버스 시간표

지역	출발 시각
서울	16시 46분

→

지역	도착 시각
구미	19시 44분
강릉	19시 38분

( )

22 [4단원]
과일 가게에 다음과 같이 사과가 있습니다. 과일 가게에 있는 사과는 모두 몇 개일까요? 4점

1등급 사과　　　　2등급 사과

한 상자에 17개씩　　한 상자에 20개씩

( )

23 [5단원]
예림이가 1시간 48분 20초 동안 숙제를 하고 시계를 보았더니 5시 30분 30초였습니다. 예림이가 숙제를 시작한 시각을 시계에 나타내어 보세요. 4점

24 [5단원]
세 사람의 달리기 기록입니다. 세 사람의 기록의 합은 몇 분 몇 초일까요? 4점

내 기록은 118초야.　　나는 1분 53초야.　　난 126초야.

도현　　　지호　　　유진

( )

25 [6단원]
⊙보다 크고 ⓒ보다 작은 0.■인 소수를 모두 구하세요. 4점

> ⊙ 0.1이 4개인 수　　ⓒ 영 점 팔

(　　　　　　　　)

26 [4단원]
㉮와 ㉯ 모둠의 학생 수는 각각 16명씩입니다. ㉮ 모둠의 학생들에게는 공책을 3권씩 주고, ㉯ 모둠의 학생들에게는 공책을 2권씩 주려고 합니다. 공책은 모두 몇 권이 필요할까요? 4점

(　　　　　　　　)

27 [5단원]　서술형
길이가 64 mm인 색 테이프 2장을 겹쳐서 이어 붙였더니 전체 길이가 99 mm였습니다. 색 테이프가 겹쳐진 부분의 길이는 몇 cm 몇 mm인지 풀이 과정을 쓰고 답을 구하세요. 4점

풀이 _____

_____

_____

답 _____

28 [5단원]　추론
철인 3종 경기에 참가한 어느 선수의 기록표입니다. ⊙과 ⓒ에 알맞은 시각 또는 시간을 구하세요. 4점

총기록	
⊙	
출발 시각	오전 8시
수영 기록	44분 3초
자전거 기록	1시간 8분 45초
달리기 기록	1시간 10분 5초
도착 시각	ⓒ

⊙ (　　　　　　　　)
ⓒ (　　　　　　　　)

29 [4단원]
조건에 알맞은 세 자리 수를 구하세요. 4점

> • 일의 자리 숫자는 6×4의 일의 자리 숫자와 같습니다.
> • 십의 자리 숫자는 90×2의 십의 자리 숫자와 같습니다.
> • 백의 자리 숫자는 72를 9배한 수의 백의 자리 숫자와 같습니다.

(　　　　　　　　)

30 [4단원]
어떤 두 수의 합은 30이고 차는 12입니다. 두 수의 곱은 얼마일까요? 4점

(　　　　　　　　)

[5단원]

1 □ 안에 알맞은 수를 써넣으세요. 2점

6분 30초 = ▢ 초

[4단원]

2 덧셈식을 곱셈식으로 나타내어 보세요. 2점

37＋37＋37＝111

곱셈식 _____

[5단원]

3 시각을 바르게 읽은 것을 찾아 기호를 쓰세요. 2점

 ㉠　 ㉡

| 5시 16분 7초 | 9시 30분 2초 |

( )

[4단원]

4 두 수의 곱을 구하세요. 2점

| 34 | | 2 |

( )

[6단원]

5 남은 부분과 먹은 부분을 분수로 나타내어 보세요. 3점

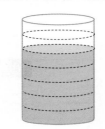

남은 부분은 전체의 ▢

먹은 부분은 전체의 ▢

[6단원]

6 도형 1개를 1로 보았을 때 색칠한 부분을 소수로 나타내어 보세요. 3점

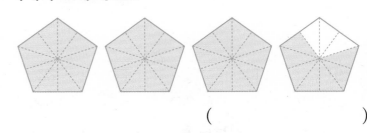

( )

[4단원]

7 크기를 비교하여 ○ 안에 ＞, ＝, ＜를 알맞게 써넣으세요. 3점

45×7 310

[6단원]

8 정원에 $\frac{1}{8}$에는 장미를 심고 나머지 부분에는 튤립을 심었습니다. 튤립을 심은 부분은 정원 전체의 얼마인지 분수로 나타내어 보세요. 3점

( )

[5단원]

9 물건의 길이를 써넣으세요. 3점

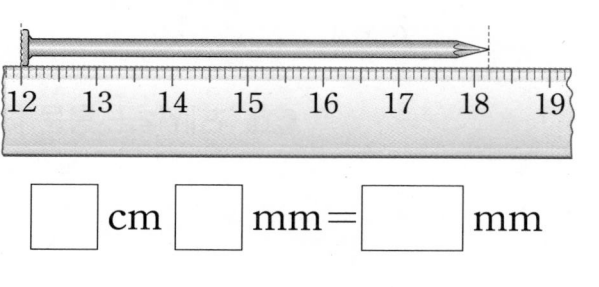

☐ cm ☐ mm = ☐ mm

[4단원]

10 빈칸에 알맞은 수를 써넣으세요. 3점

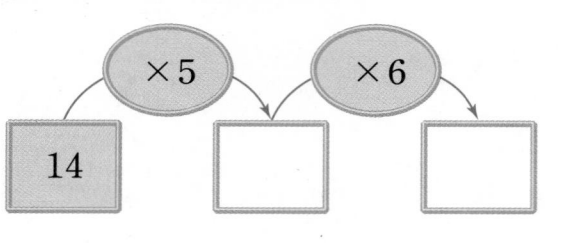

[6단원]

11 세 사람이 각각 분수만큼 색칠했습니다. **잘못** 색칠한 사람은 누구일까요? 3점

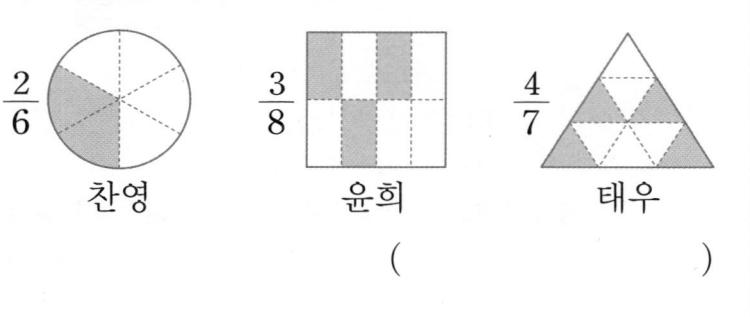

$\frac{2}{6}$ 찬영 $\frac{3}{8}$ 윤희 $\frac{4}{7}$ 태우

( )

[6단원]

12 ㉮, ㉯, ㉰ 등산 코스의 길이가 긴 것부터 차례로 쓰세요. 3점

㉮ 코스	㉯ 코스	㉰ 코스
1.8 km	2.3 km	1.5 km

( )

[5단원]

13 ☐ 안에 알맞은 시간을 써넣으세요. 3점

5분 13초 ～～ +7분 39초 → ☐

[5단원]

14 길이가 긴 것부터 차례로 번호를 쓰세요. 3점

3005 m	3 km 54 m	3450 m

( ) ( ) ( )

[4단원]

15 동물원에 있는 동물 수입니다. 미어캣 수는 사자 수의 2배입니다. 이처럼 어떤 동물 수가 다른 동물 수의 2배가 되는 두 동물을 찾아 쓰세요. 3점

미어캣	공작	원숭이	사자	기린
22	32	36	11	16

( )

[4단원] 서술형

16 ㉠과 ㉡이 나타내는 수의 차를 구하는 풀이 과정을 쓰고 답을 구하세요. 3점

㉠ 24씩 5번 뛰어 센 수
㉡ 19를 7번 더한 수

풀이 _____

_____

_____

답 _____

17 [5단원] 문제 해결

은수가 집에서 이모 댁에 가는 데 3시간 17분 40초가 걸렸고, 집으로 돌아오는 데 2시간 53분 50초가 걸렸습니다. 은수가 이모 댁에 갔다가 집으로 돌아오는 데까지 걸린 시간은 모두 몇 시간 몇 분 몇 초일까요? (단, 이모 댁에 머무른 시간은 생각하지 않습니다.) 4점

(   )

18 [6단원]

세 사람이 가지고 있는 끈의 길이입니다. 가장 긴 끈의 길이는 몇 cm인지 소수로 나타내어 보세요. 4점

- 민주: 66 cm 2 mm
- 장민: 50 cm 6 mm
- 국현: 71 cm 3 mm

(   )

19 [6단원]

1부터 9까지의 수 중에서 □ 안에 들어갈 수 있는 수를 모두 구하세요. 4점

$$9.2 < 9.\boxed{} < 9.6$$

(   )

20 [6단원]

㉠과 ㉡ 중 더 작은 수를 찾아 기호를 쓰세요. 4점

- 1.3은 0.1이 ㉠개입니다.
- $\dfrac{1}{17} < \dfrac{1}{㉡} < \dfrac{1}{15}$

(   )

21 [6단원] 서술형

수 카드 2, 6, 7 중에서 2장을 뽑아 한 번씩만 사용하여 ■.●와 같은 소수를 만들려고 합니다. 만들 수 있는 소수 중에서 세 번째로 큰 소수를 구하는 풀이 과정을 쓰고 답을 구하세요. 4점

풀이 _____

_____

_____

_____

답 _____

22 [4단원]

어떤 수를 8로 나누었더니 7이 되었습니다. 어떤 수에 5를 곱한 값은 얼마일까요? 4점

(   )

23 [5단원]

24절기 중 하나인 동지는 일 년 중 밤이 가장 길고 낮이 가장 짧은 날입니다. 어느 해 동짓날의 밤의 길이가 14시간 26분 30초였다면 이날의 낮의 길이는 몇 시간 몇 분 몇 초일까요? 4점

(   )

24 [5단원]

예지가 봉사 활동을 시작한 시각과 끝낸 시각입니다. 예지가 봉사 활동을 한 시간은 몇 시간 몇 분인지 구하세요. 4점

시작한 시각	끝낸 시각
오전 9시 17분	오후 5시 33분

(   )

25 [4단원] 기호 ◆를 다음과 같이 약속할 때 29◆146의 값을 구하세요. (단, ×와 ─가 같이 있는 식은 ×를 먼저 계산합니다) 4점

$$㉠ ◆ ㉡ = ㉠ × 7 - ㉡$$

( )

26 [5단원] 세 변의 길이가 모두 같은 삼각형을 똑같이 넷으로 나누기 위해 선분을 3개 그렸습니다. 그린 선분의 길이의 합은 몇 cm 몇 mm일까요? 4점

75 mm

( )

27 [4단원] 지호와 유진이가 각각 만든 도형에서 찾을 수 있는 삼각형 수는 누가 더 많을까요? 4점

나는 도형을 15개 만들었어.

지호

나는 도형을 17개 만들었지.

유진

( )

28 [5단원] 융합형 영재의 일기를 읽고 영재가 자전거를 탄 거리는 모두 몇 km 몇 m인지 구하세요. 4점

> 20○○년 ○월 ○일 날씨: 맑음
> 우리 집에서 학교까지의 거리는 3 km 685 m이다.
> 등교하려고 집에서 출발하여 자전거를 타고 1 km 450 m를 갔는데 준비물을 놓고 온 것이 생각나서 집으로 돌아가 준비물을 가지고 다시 학교에 갔다.

( )

29 [4단원] 곱셈식에서 두 자리 수가 얼룩으로 지워졌습니다. 계산 과정을 보고 얼룩으로 지워진 두 자리 수를 구하세요. 4점

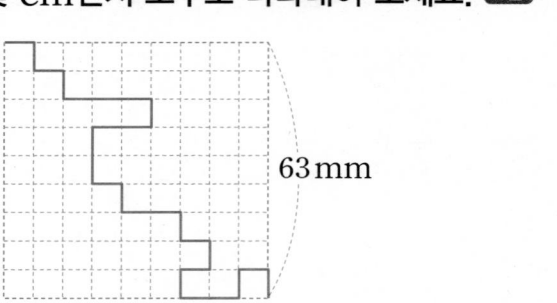

```
    ⬛ ⬛
  ×     6
  4 0 2
```

( )

30 [6단원] 창의력 정사각형 모양의 모눈종이에 그려진 빨간색 선의 길이의 합은 몇 cm인지 소수로 나타내어 보세요. 4점

63 mm

( )

1 [3단원] 나눗셈의 몫을 구하고, 나눗셈식을 곱셈식으로 바꿔 보세요. 2점

$$15 \div 3 = \boxed{} \Rightarrow 3 \times \boxed{} = 15$$

2 [4단원] 두 수의 곱을 구하세요. 2점

> 81, 6

( )

3 [1단원] 올림픽에 참가한 중국 선수는 우리나라 선수보다 몇 명 더 많을까요? 2점

올림픽에 참가한 선수 수			
1. 영국	556명	2. 미국	539명
3. 러시아	440명	4. 오스트레일리아	414명
5. 독일	398명	6. 중국	385명
⋮		⋮	
13. 대한민국	256명	14. 우크라이나	238명

( )

4 [5단원] 잘못 말한 사람은 누구일까요? 2점

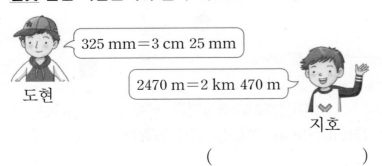

도현: 325 mm = 3 cm 25 mm

지호: 2470 m = 2 km 470 m

( )

[5~6] 도형을 보고 물음에 답하세요.

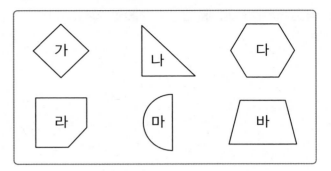

5 [2단원] 각이 <u>없는</u> 도형을 찾아 기호를 쓰세요. 3점

( )

6 [2단원] 도형 라에는 직각이 몇 개 있을까요? 3점

( )

7 [3단원] 빈칸에 알맞은 수를 써넣으세요. 3점

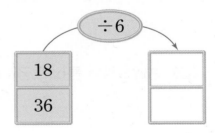

8 [5단원] 융합형 전자레인지에 음식을 몇 초 동안 데운 것인지 구하세요. 3점

음식을 2분 25초 동안 데웠으니 이제 꺼야겠군.

( )

9 [3단원] 곶감 27개를 한 명에게 3개씩 주려고 합니다. 곶감을 몇 명에게 나누어 줄 수 있을까요? 3점

식 _____

답 _____

10 [2단원] 색종이를 점선을 따라 모두 자르면 직각삼각형이 몇 개 생길까요? 3점

( )

11 [6단원] 부분을 보고 전체를 바르게 그린 것에 ○표 하세요. 3점

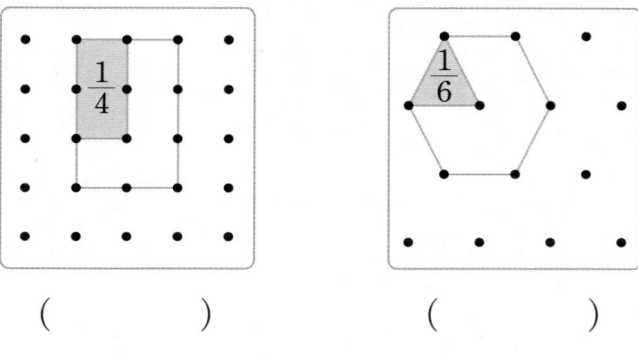

( )   ( )

12 [6단원]   서술형

케이크가 한 개 있습니다. 어머니는 전체의 $\frac{1}{4}$, 수진이는 전체의 $\frac{1}{3}$, 승호는 전체의 $\frac{1}{5}$을 먹었습니다. 케이크를 가장 많이 먹은 사람은 누구인지 풀이 과정을 쓰고 답을 구하세요. 3점

풀이 _____

_____

_____

답 _____

13 [4단원] 진우 할머니께서 떡살로 찍어 떡을 만들고 있습니다. 떡살로 29번 찍어 냈다면 할머니께서 만든 떡은 모두 몇 개일까요? 3점

이 떡살로는 떡을 한 번에 5개씩 만들 수 있단다.

우아~ 신기해요.

( )

14 [1단원] □ 안에 알맞은 숫자를 써넣으세요. 3점

$$\begin{array}{cccc} & \square & 3 & 6 \\ - & 4 & \square & 9 \\ \hline & 1 & 8 & 7 \end{array}$$

15 [5단원] 윤서는 다음 시계가 나타내는 시각에 장난감 조립을 시작하여 1시간 27분 45초 후에 조립을 끝냈습니다. 윤서가 장난감 조립을 끝낸 시각은 몇 시 몇 분 몇 초일까요? 3점

1:14:38

( )

16 [4단원]   추론

1부터 9까지의 수 중에서 □ 안에 들어갈 수 있는 가장 작은 수를 구하세요. 3점

$$\square 2 \times 4 > 300$$

( )

17 [2단원] 　　　　　　　　　　　　　창의·융합

한옥의 문에는 빛이 들어오는 창문이 있습니다. 창문 하나에서 찾을 수 있는 크고 작은 직사각형은 모두 몇 개인지 구하세요. 4점

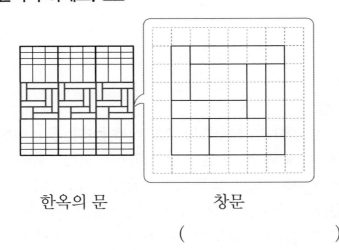

한옥의 문　　　　　　창문

(　　　　　　　　)

18 [3단원]

두 나눗셈의 몫이 같습니다. □ 안에 알맞은 수를 구하세요. 4점

$32 \div 4$　　　　$56 \div \boxed{}$

(　　　　　　　　)

19 [6단원]

성현이는 우유 한 병을 사서 전체의 $\frac{1}{10}$씩 3번 마셨습니다. 남은 우유는 전체의 얼마인지 분수로 나타내어 보세요. 4점

(　　　　　　　　)

20 [1단원] 　　　　　　　　　　　　　융합형

성주는 세계의 높은 건물들을 조사했습니다. 부르즈 할리파의 높이는 부산 국제 금융 센터와 상하이 세계 금융 센터의 높이의 합보다 몇 m 더 높을까요? 4점

건물 이름	높이(m)
부르즈 할리파	829
부산 국제 금융 센터	289
상하이 세계 금융 센터	492

(　　　　　　　　)

21 [1단원]

그림을 보고 □ 안에 알맞은 수를 써넣으세요. 4점

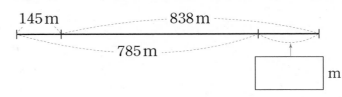

22 [1단원]

5장의 수 카드 중에서 3장을 골라 한 번씩만 사용하여 세 자리 수를 만들려고 합니다. 만들 수 있는 세 자리 수 중에서 가장 큰 수와 가장 작은 수의 합을 구하세요. 4점

8　5　6　7　9

(　　　　　　　　)

23 [4단원] 　　　　　　　　　　　　　서술형

어떤 수에 3을 곱해야 할 것을 잘못하여 8로 나누었더니 4가 되었습니다. 바르게 계산한 값은 얼마인지 풀이 과정을 쓰고 답을 구하세요. 4점

풀이 _____

_____

_____

답 _____

24 [6단원]

조건에 알맞은 분수를 모두 구하세요. 4점

- 분모가 12입니다.
- $\frac{8}{12}$보다 크고 $\frac{11}{12}$보다 작습니다.

(　　　　　　　　)

25 [3단원] 의사소통

한 변의 길이가 20 m인 정사각형 모양의 화단이 있습니다. 이 화단의 둘레에 4 m 간격으로 기둥을 세워 울타리를 만들려고 합니다. 기둥은 모두 몇 개 필요할까요? **4점**

20 m

(   )

26 [6단원] 추론

소수 3.□는 ㉠보다 크고 ㉡보다 작습니다. 1부터 9까지의 수 중에서 □ 안에 들어갈 수 있는 수는 모두 몇 개일까요? **4점**

㉠ 3과 $\frac{1}{10}$ 만큼인 수   ㉡ 3.8

(   )

27 [5단원]

준호네 집에서 미술관까지 가는 데 걸리는 시간은 48분이고, 수아네 집에서 미술관까지 가는 데 걸리는 시간은 14분입니다. 수아가 8시 25분에 집에서 출발하여 미술관에 간다면 준호는 늦어도 몇 시 몇 분에 집에서 출발해야 수아보다 늦지 않게 미술관에 도착할까요?

4점

(   )

28 [2단원]

철사를 겹치지 않게 사용하여 그림과 같은 정사각형을 만들었습니다. 이 철사를 편 다음 겹치지 않게 모두 사용하여 가로의 길이가 18 cm인 직사각형을 만들려면 세로의 길이를 몇 cm로 해야 할까요? **4점**

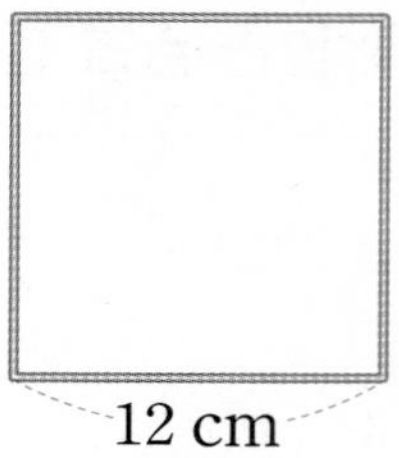

12 cm

(   )

29 [5단원]

집에서 우체국까지의 거리는 8 km 820 m입니다. 자전거를 타고 1분에 420 m씩 가는 일정한 빠르기로 집에서 우체국까지 간다면 몇 분이 걸릴까요? **4점**

(   )

30 [4단원] 문제 해결

수 카드를 한 번씩만 사용하여 (몇십몇)×(몇)의 곱셈식을 만들려고 합니다. 곱이 가장 큰 경우와 가장 작은 경우의 곱의 차를 구하세요. **4점**

| 8 | 1 | 4 |

(   )

[2단원]

1 오른쪽 도형에 대해 잘못 말한 사람은 누구일까요? [2점]

- 민지: 직각삼각형입니다.
- 선화: 두 각이 직각입니다.

(   )

[1단원]

2 □ 안의 수가 실제로 나타내는 값이 더 큰 것을 찾아 기호를 쓰세요. [2점]

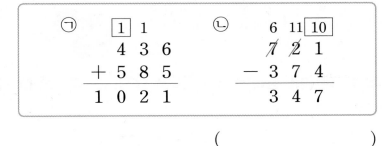

(   )

[6단원]

3 남은 부분과 먹은 부분을 분수로 나타내어 보세요. [2점]

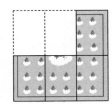

남은 부분은 전체의

먹은 부분은 전체의

[5단원]

4 같은 길이끼리 선으로 이어 보세요. [2점]

9 km 450 m ·	· 9540 m
9 km 45 m ·	· 9045 m
9 km 540 m ·	· 9450 m

[1단원]

5 크기를 비교하여 ○ 안에 >, =, <를 알맞게 써넣으세요. [3점]

$$396 + 427 \bigcirc 830$$

[6단원]

6 피자 한 판을 1로 보았을 때 먹고 남은 피자를 소수로 나타내어 보세요. [3점]

(   )

[4단원]   융합형

7 다음 프로그램을 참가한 정원에 맞춰 3일 동안 진행했다면 모두 몇 명이 참가했을까요? [3점]

초가지붕 얹기 프로그램

시각	내용
11 : 00~11 : 20	초가지붕※이엉 잇기 설명
11 : 20~11 : 50	이엉 엮기
11 : 50~12 : 20	이엉 잇기
12 : 20~13 : 30	점심 식사

- 대상: 초등학생 포함 가족 모두 (1회 정원: 60명)
- 날짜: 4월 5일, 12일, 13일(1일 1회 진행)

※ 이엉: 짚, 풀잎 등으로 엮어 만든 지붕 재료

(   )

[3단원]

8 장미 35송이를 꽃병 한 개에 5송이씩 꽂으려고 합니다. 꽃병은 모두 몇 개 필요할까요? [3점]

식 _____

답 _____

[1단원]

9 길이가 6 m인 색 테이프 중에서 410 cm를 사용했습니다. 남은 색 테이프는 몇 cm일까요? 3점

(   )

[2단원]

10 직각이 더 많은 도형의 기호를 쓰세요. 3점

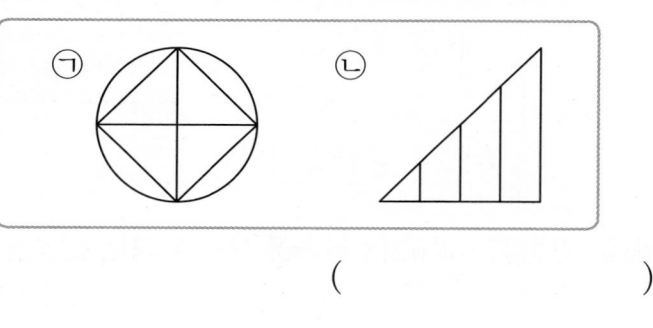

(   )

[2단원]

11 다음을 보고 지호가 수영을 하는 시각을 구하세요. 3점

난 매일 오후 시계의 긴바늘이 12를 가리키고 긴바늘과 짧은바늘이 이루는 작은 쪽의 각이 직각일 때 수영을 해. 그리고 집에 가서 7시에 저녁을 먹어.

지호

(   )

[6단원] 융합형

12 나비의 길이를 cm로 나타내고 더 긴 나비의 길이는 몇 cm인지 소수로 쓰세요. 3점

86 mm = [   ] cm   72 mm = [   ] cm

(   )

[3단원] 의사소통

13 남김없이 똑같이 나누어 가지는 경우를 말한 사람은 누구일까요? 3점

색종이 42장을 8명이 똑같이 나누어 가지기.

지우개 56개를 7명이 똑같이 나누어 가지기.

색연필 21자루를 5명이 똑같이 나누어 가지기.

도현   민서   유진

(   )

[6단원]

14 큰 수부터 차례로 기호를 쓰세요. 3점

ㄱ 0.9   ㄴ 1   ㄷ $\frac{6}{10}$

(   )

[1단원]

15 놀이공원에 429명이 있습니다. 잠시 후 138명이 들어오고 278명이 나갔습니다. 지금 놀이공원에 있는 사람은 몇 명일까요? 3점

(   )

[2단원] 문제 해결

16 정사각형 2개와 직사각형 1개를 겹치지 않게 이어 붙여서 만든 도형입니다. 선분 ㅁㅂ의 길이는 몇 cm일까요? 3점

(   )

17 [4단원] 추론

0부터 9까지의 수 중에서 □ 안에 들어갈 수 있는 수를 모두 구하세요. 4점

$$32 \times 3 > 16 \times \boxed{}$$

( )

18 [5단원]

□ 안에 알맞은 수를 써넣으세요. 4점

8시 35분에서 200초 전의 시각은 $\boxed{}$시 $\boxed{}$분 $\boxed{}$초입니다.

19 [4단원] 서술형

야구공을 한 상자에 41개씩 담았더니 8상자가 되고 23개가 남았습니다. 야구공은 모두 몇 개인지 풀이 과정을 쓰고 답을 구하세요. 4점

풀이 _____

_____

_____

답 _____

20 [6단원]

조건에 알맞은 ★을 구하세요. 4점

• ★은 분수입니다.

• ★은 $\frac{1}{11}$보다 크고 $\frac{1}{9}$보다 작습니다.

• ★의 분자는 1입니다.

( )

21 [3단원]

같은 모양은 같은 수를 나타냅니다. ■에 알맞은 수를 구하세요. 4점

• ▲ × 2 = 16

• ■ ÷ 4 = ▲

( )

22 [5단원]

진성이는 매일 오후 4시 30분부터 6시 5분까지 운동을 합니다. 진성이가 이틀 동안 운동을 한 시간은 모두 몇 시간 몇 분일까요? 4점

( )

23 [5단원] 융합형

다음을 보고 호우주의보가 발령된 도시를 찾아 쓰고, 그 도시의 예상 강우량은 몇 cm 몇 mm인지 쓰세요. 4점

구분	기준
호우주의보	12시간 동안의 강우량이 110 mm와 같거나 많을 것이 예상될 때
호우경보	12시간 동안의 강우량이 180 mm와 같거나 많을 것이 예상될 때

오늘 낮 12시부터 밤 12시까지의 도시별 예상 강우량입니다.

도시	서울	대전	부산	광주	강릉
예상 강우량(mm)	55	40	70	115	80

호우주의보 발령 도시 ( )

예상 강우량 ( )

24 [2단원] 다음 직사각형의 네 변의 길이의 합은 24 cm입니다. ㉠의 길이는 3 cm의 몇 배인지 구하세요. 4점

3cm

(   )

25 [1단원] 종이 3장에 세 자리 수를 한 개씩 써 놓았는데 한 장이 찢어져서 백의 자리 숫자만 보입니다. 세 수의 합이 900일 때 찢어진 종이에 적힌 세 자리 수를 구하세요. 4점

| 351 | 237 | 3 |

(   )

26 [4단원] 기계 한 대가 인형을 한 시간에 24개씩 일정하게 만듭니다. 이 기계 3대로 3시간 동안 만들 수 있는 인형은 모두 몇 개일까요? 4점

(   )

27 [3단원] 어떤 수를 8로 나누어야 할 것을 잘못하여 4로 나누었더니 6이 되었습니다. 바르게 계산한 몫은 얼마일까요? 4점

(   )

28 [3단원] 서술형 포도 맛 사탕 49개는 7봉지에 똑같이 나누어 담았고, 딸기 맛 사탕 45개는 5봉지에 똑같이 나누어 담았습니다. 한 봉지에 담은 사탕은 어느 사탕이 몇 개 더 많은지 풀이 과정을 쓰고 답을 구하세요. 4점

풀이 _____

_____

_____

_____

답 _____ , _____

29 [4단원] 50보다 작은 두 자리 수 ㉮가 있습니다. ㉮의 십의 자리 숫자와 일의 자리 숫자의 합은 12이고 차는 6입니다. ㉮의 2배는 얼마일까요? 4점

(   )

30 [5단원] 문제 해결 5월 어느 날 ㉮ 도시와 ㉯ 도시에서 해가 뜨는 시각과 해가 지는 시각을 나타낸 표입니다. 두 도시 중 어느 도시의 낮의 길이가 몇 분 몇 초 더 길까요? 4점

	해가 뜨는 시각	해가 지는 시각
㉮ 도시	5시 28분 20초	19시 11분 50초
㉯ 도시	5시 9분 40초	19시 47분 30초

(   ), (   )

[2단원]

1 반직선이 <u>아닌</u> 것에 ×표 하세요. 2점

(   ) (   ) (   )

[1단원]

2 빈칸에 두 수의 합을 써넣으세요. 2점

536	478

[2단원]

3 오른쪽 도형이 정사각형이 <u>아닌</u> 이유
를 찾아 기호를 쓰세요. 2점

ㄱ 네 변의 길이가 모두 같지 않기 때문입니다.
ㄴ 한 각이 직각이 아니기 때문입니다.
ㄷ 사각형이 아니기 때문입니다.

(   )

[3단원]

4 송편을 접시에 똑같이 나누어 놓으려고 합니다. 접시
의 수에 따라 놓을 수 있는 송편의 수를 구하세요. 2점

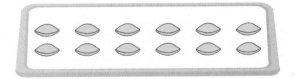

접시 2개에 놓을 때: 한 접시에 ☐ 개

접시 4개에 놓을 때: 한 접시에 ☐ 개

[2단원]

5 직사각형 모양의 종이를 점선을 따라 모두 자르면 어
떤 삼각형이 몇 개 만들어질까요? 3점

(   ), (   )

[6단원]

6 소수의 크기를 비교하여 작은 것부터 차례로 번호를
쓰세요. 3점

8.1	7.7	8.6

(   ) (   ) (   )

[5단원] 서술형

7 단위를 잘못 사용한 친구의 이름을 쓰고 이야기를 옳
게 고쳐 보세요. 3점

• 진호: 샤프심의 길이는 약 4 mm야.
• 경선: 교실 문의 높이는 약 2 km야.
• 지원: 만화 영화 한 편을 보는 데 80분이 걸
렸어.

이름	
옳게 고친 이야기	

[1단원]

8 크기를 비교하여 ○ 안에 >, =, <를 알맞게 써넣
으세요. 3점

795 − 334 ◯ 460

[1단원]

9 꽃 축제에 여자는 457명, 남자는 398명이 왔습니다. 꽃 축제에 온 사람은 모두 몇 명일까요? `3점`

( )

[6단원]

10 분수의 크기 비교를 바르게 한 것을 찾아 기호를 쓰세요. `3점`

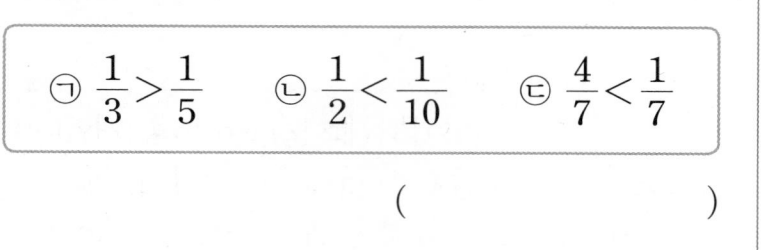

$\bigcirc \ \dfrac{1}{3} > \dfrac{1}{5}$　　$\bigcirc \ \dfrac{1}{2} < \dfrac{1}{10}$　　$\bigcirc \ \dfrac{4}{7} < \dfrac{1}{7}$

( )

[2단원]

11 세 도형에서 찾을 수 있는 각은 모두 몇 개일까요? `3점`

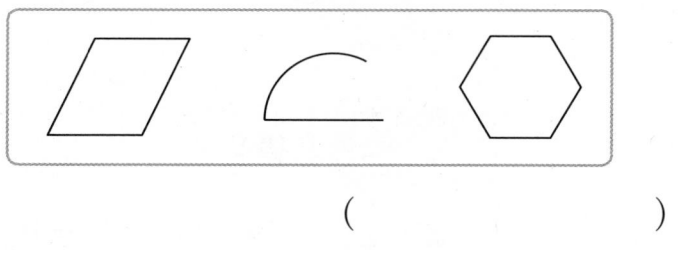

( )

[3단원]

12 가장 큰 수를 가장 작은 수로 나눈 몫을 구하세요. `3점`

| 8 | 64 | 9 | 72 |

( )

[4단원]　　　　　　　　　　　　　　　추론

13 □ 안에 알맞은 숫자를 써넣으세요. `3점`

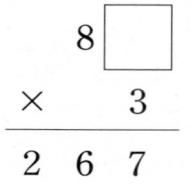

```
      8 □
   ×   3
   -------
   2 6 7
```

[5단원]

14 시간의 길이가 긴 것부터 차례로 기호를 쓰세요. `3점`

> $\bigcirc$ 320초
> $\bigcirc$ 4분 50초
> $\bigcirc$ 327초

( )

[3단원]

15 달걀말이를 친구들과 똑같이 모두 나누어 먹는다면 한 명이 달걀을 몇 개씩 먹는 것과 같을까요? `3점`

달걀 30개로 만든 대형 달걀말이라고?

그래. 친구 4명을 더 불러 와서 우리 모두 똑같이 나눠 먹자.

( )

[5단원]　　　　　　　　　　　　　　　융합형

16 기차 승차권을 보고 광명에서 대구까지 가는 데 걸린 시간은 몇 시간 몇 분인지 구하세요. `3점`

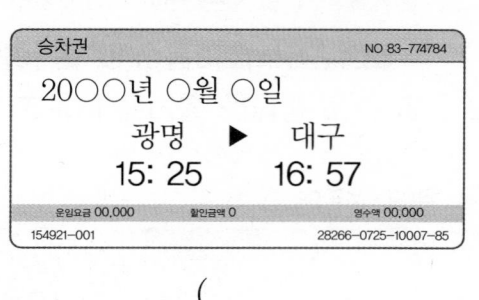

승차권　　　　　　　　　NO 83-774784
20○○년 ○월 ○일
광명　▶　대구
15 : 25　　16 : 57
운임요금 00,000　할인금액 0　영수액 00,000
154921-001　　28266-0725-10007-85

( )

17 [6단원] 추론

상자에 무거운 공부터 차례로 넣으려고 합니다. 상자에 가장 먼저 넣어야 하는 공은 무엇일까요? 4점

테니스공   탁구공   골프공
57.2 g   2.7 g   45.5 g

(   )

18 [2단원]

그림에서 찾을 수 있는 크고 작은 직각삼각형은 모두 몇 개일까요? 4점

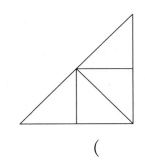

(   )

19 [6단원]

㉠과 ㉡에 알맞은 수의 차를 구하세요. 4점

- $\frac{1}{10}$이 ㉠개이면 1.9입니다.
- 3.7은 0.1이 ㉡개입니다.

(   )

20 [1단원]

어떤 수에서 148을 뺀 후 367을 뺐더니 160이 되었습니다. 어떤 수를 구하세요. 4점

(   )

21 [5단원]

학생들이 장래희망인 직업에 대해 조사하여 동영상을 만들었습니다. 세 동영상을 모두 보는 데 걸리는 시간은 몇 분 몇 초일까요? 4점

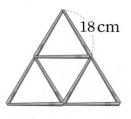

8분 30초   4분 16초   3분 43초
지아   승혁   혜진

(   )

22 [4단원]

길이가 18 cm인 나무젓가락으로 오른쪽과 같은 도형을 만들었습니다. 사용한 나무젓가락의 길이는 모두 몇 cm일까요? 4점

18 cm

(   )

23 [3단원]

같은 모양은 같은 수를 나타냅니다. ㉠에 알맞은 수를 구하세요. 4점

- 48÷■=6
- ■÷2=㉠

(   )

24 [4단원]

소현이와 지웅이는 같은 위인전을 각각 읽기 시작했습니다. 소현이는 하루에 11쪽, 지웅이는 하루에 14쪽씩 읽는다면 소현이가 99쪽을 읽는 동안 지웅이는 몇 쪽을 읽었을까요? 4점

(   )

25 [3단원] 〔서술형〕

다람쥐 2마리가 일주일 동안 먹은 도토리는 모두 126개입니다. 매일 같은 개수의 도토리를 각각 먹었다면 다람쥐 한 마리가 하루에 먹은 도토리는 몇 개인지 풀이 과정을 쓰고 답을 구하세요. 〔4점〕

풀이 _____

_____

_____

답 _____

26 [4단원]

연필 한 타는 12자루입니다. 한 상자에 연필이 4타씩 들어 있습니다. 3상자에 들어 있는 연필은 모두 몇 자루일까요? 〔4점〕

(   )

27 [4단원] 〔융합형〕

숫자 퍼즐의 빈칸에 알맞은 수를 써넣으세요. 〔4점〕

	㉠	㉡		
		㉢		㉣
㉤	㉥			

가로	세로
㉠ 11×4	㉡ 23×2
㉢ 93×7	㉣ 38×3
㉤ 19×5	㉥ 25×2

28 [5단원] 〔서술형〕

지혜가 산을 올라갈 때는 내려올 때보다 1시간 9분 40초가 더 걸렸습니다. 내려올 때 걸린 시간이 2시간 17분 11초라면 지혜가 산에 올라갔다 내려오는 데 걸린 시간은 모두 몇 시간 몇 분 몇 초인지 풀이 과정을 쓰고 답을 구하세요. 〔4점〕

풀이 _____

_____

_____

답 _____

29 [6단원]

한 변의 길이가 125 mm인 정사각형이 있습니다. 이 정사각형과 네 변의 길이의 합이 같은 직사각형을 그리려고 합니다. 직사각형의 가로의 길이를 168 mm로 그리려면 세로의 길이는 몇 cm로 그려야 하는지 소수로 나타내어 보세요. 〔4점〕

(   )

30 [1단원] 〔추론〕

어떤 두 수의 합과 차를 나타낸 것입니다. 두 수를 각각 구하세요. 〔4점〕

$$\begin{array}{r} \square\,\square\ 6 \\ +\ \square\ 9\ \square \\ \hline 1\ 1\ 3\ \square \end{array} \qquad \begin{array}{r} \square\,\square\ 6 \\ -\ \square\ 9\ \square \\ \hline 5\ \square\ 9 \end{array}$$

(   ), (   )

[3단원]

1 빈칸에 알맞은 수를 써넣으세요. 2점

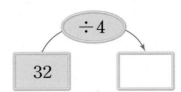

[2단원]

2 직각인 각을 읽어 보세요. 2점

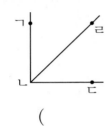

(   )

[6단원]

3 □ 안에 알맞은 수를 써넣으세요. 2점

(1) 0.1이 25개이면 □ 입니다.

(2) $\frac{1}{10}$이 □ 개이면 0.3입니다.

[2단원]

4 직사각형은 모두 몇 개일까요? 2점

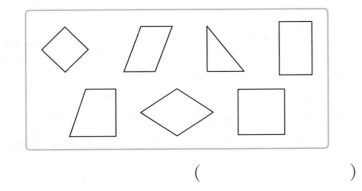

(   )

[6단원]

5 할아버지가 부채를 접었을 때 전체의 얼마만큼 펼쳐진 것인지 분수로 나타내어 보세요. 3점

(   )

[1단원]

6 크기를 비교하여 ○ 안에 >, =, <를 알맞게 써넣으세요. 3점

$$805-257 \bigcirc 587$$

[4단원]

7 계산 결과가 <u>다른</u> 하나를 찾아 기호를 쓰세요. 3점

> ㉠ 38×4
> ㉡ $38+38+38$
> ㉢ 38씩 4묶음

(   )

[5단원]

8 시계에 알맞은 시각을 그려 보세요. 3점

3분 30초 후

[3단원]

서술형

9 영재는 문제집을 하루에 8쪽씩 풉니다. 56쪽인 문제집을 모두 푸는 데 며칠이 걸리는지 풀이 과정을 쓰고 답을 구하세요. 3점

풀이 _____

_____

_____

_____

답 _____

[4단원]

10 유진이가 산 요구르트는 모두 몇 개일까요? 3점

할인 행사 제품

요구르트를 5개씩 4줄로 묶어서 2000원에 팔아요!

4묶음을 샀어!

유진

( )

[4단원]

11 계산 결과가 더 작은 것의 기호를 쓰세요. 3점

㉠ 67×4 ㉡ 82×3

( )

[1단원]

12 수직선을 보고 □ 안에 알맞은 수를 써넣으세요. 3점

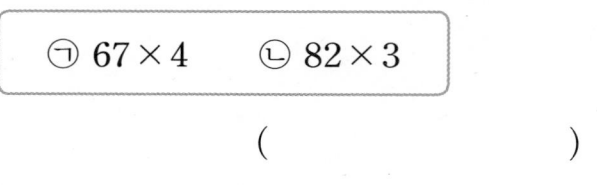

732

474

[5단원]

13 서희네 가족은 담양 대나무 축제에 가기 위해 집에서 오전 8시 25분에 출발했습니다. 담양에 오전 11시 10분에 도착했다면 집에서 담양까지 가는 데 몇 시간 몇 분이 걸렸을까요? 3점

( )

[5단원]

14 두 거리의 합과 차는 각각 몇 km 몇 m일까요? 3점

| 4750 m   2 km 637 m |

합 ( )

차 ( )

[6단원]

15 □ 안에 들어갈 수 있는 자연수는 모두 몇 개일까요?

3점

$$\frac{1}{12} < \frac{1}{\Box} < \frac{1}{7}$$

( )

[3단원]

16 □ 안에 들어갈 수가 다른 하나는 어느 것일까요?

3점 .... ( )

① $81 \div \Box = 9$ ② $45 \div 5 = \Box$

③ $36 \div \Box = 4$ ④ $32 \div \Box = 4$

⑤ $27 \div 3 = \Box$

[1단원]

17 양팔저울은 양쪽의 무게가 같을 때 수평이 됩니다. 양팔저울이 수평이 되게 하려면 감과 배 중 어느 것이 있는 접시에 몇 g의 추를 올려야 할까요? 4점

창의·융합

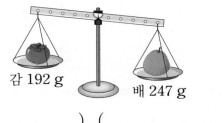

감 192 g　　　　　배 247 g

(　　　　　　　), (　　　　　　　) g

[2단원]

18 점 5개 중에서 2개를 이어 그을 수 있는 직선은 모두 몇 개일까요? 4점

.
　　.
.
　.　.

(　　　　　　　　)

[1단원]

19 어떤 수에 493을 더해야 할 것을 잘못하여 394를 더했더니 9921이 되었습니다. 어떤 수는 얼마일까요? 4점

(　　　　　　　　)

[2단원]

20 도형에 3개의 직각삼각형이 만들어지도록 선을 2개 그어 보세요. 4점

[3단원]

21 한 변이 24 cm인 정사각형 모양의 종이를 잘라서 한 변이 4 cm인 정사각형 모양을 만들려고 합니다. 만들 수 있는 정사각형 모양은 모두 몇 개일까요? 4점

(　　　　　　　　)

[3단원]

22 지수네 반 학생 28명이 똑같이 4모둠으로 나누어 오페라나 뮤지컬을 선택하여 연습합니다. 뮤지컬을 3모둠이 연습한다면 뮤지컬을 연습하는 학생은 모두 몇 명일까요? 4점

(　　　　　　　　)

[1단원]

23 460보다 크고 500보다 작은 세 자리 수 중에서 일의 자리 숫자가 십의 자리 숫자보다 1 큰 수들을 모두 더한 값을 구하려고 합니다. 풀이 과정을 쓰고 답을 구하세요. 4점

서술형

풀이 _____

_____

_____

_____

답 _____

[2단원]

24 그림에서 찾을 수 있는 크고 작은 직사각형은 모두 몇 개일까요? 4점

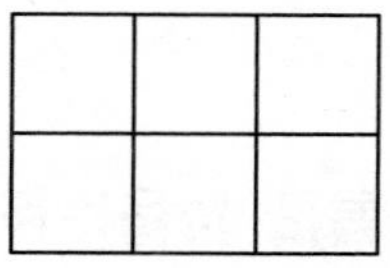

( )

[4단원]

25 4장의 수 카드 4 , 7 , 6 , 9 중에서 3장을 뽑아 한 번씩만 사용하여 곱이 가장 큰 (몇십몇)×(몇) 의 곱셈식을 만들고, 그 곱을 구하세요. 4점

곱셈식 ( )

곱 ( )

[6단원]

26 ㉠과 ㉡에 공통으로 들어갈 수 있는 자연수를 모두 구하세요. 4점

- $\dfrac{10}{15} < \dfrac{㉠}{15} < \dfrac{14}{15}$

- $\dfrac{1}{13} < \dfrac{1}{㉡} < \dfrac{1}{8}$

( )

[4단원] 추론

27 1부터 8까지의 모든 수들의 합은 다음과 같이 구할 수 있습니다. 다음과 같은 방법으로 14부터 21까지의 모든 수들의 합을 구하는 곱셈식을 쓰세요. 4점

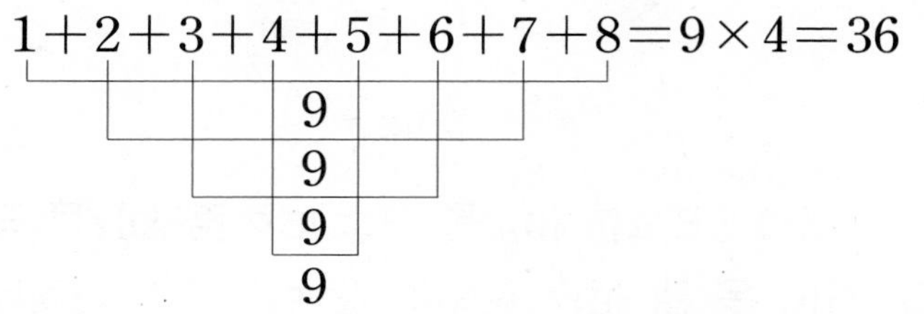

$$1+2+3+4+5+6+7+8=9\times4=36$$

9
9
9
9

식 _____

[5단원]

28 한 시간에 1분 30초씩 일정하게 늦어지는 시계가 있습니다. 이 시계를 오후 1시에 정확히 맞추어 놓았다면 3시간 후에는 몇 시 몇 분 몇 초를 가리킬까요? 4점

( )

[5단원]

29 그림과 같이 정사각형 모양으로 이루어진 개미집이 있습니다. 개미가 같은 빠르기로 움직일 때 분홍색 선을 모두 지나는 데 걸리는 시간은 몇 분 몇 초일까요? 4점

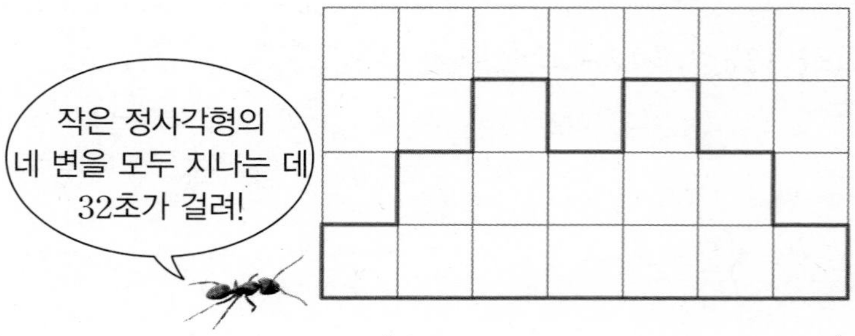

작은 정사각형의 네 변을 모두 지나는 데 32초가 걸려!

( )

[6단원] 문제 해결

30 조건에 알맞은 소수 ■.▲를 구하세요. 4점

- 0.1과 0.9 사이의 수입니다.

- $\dfrac{3}{10}$보다 큰 수입니다.

- 0.5보다 작은 수입니다.

( )

[6단원]

1 다음을 소수로 쓰고, 읽어 보세요. 2점

> 5와 0.7만큼인 수

쓰기 (   )
읽기 (   )

[4단원]

2 □ 안에 알맞은 수를 써넣으세요. 2점

$$70 \times 4 = \boxed{}$$

[3단원]

3 빈칸에 알맞은 수를 써넣으세요. 2점

÷	42	24	14	25
	6		7	5
몫	7	8	2	

[5단원]

4 그림을 보고 ㉠의 길이는 몇 cm 몇 mm인지 구하세요. 2점

11 cm 4 mm
6 cm 8 mm   ㉠

(   )

[4단원]

5 곱의 크기가 더 큰 것의 기호를 쓰세요. 3점

> ㉠ 17 × 5   ㉡ 13 × 8

(   )

[3단원]

6 48명의 학생을 6모둠으로 똑같이 나누어 게임을 하려고 합니다. 한 모둠은 몇 명일까요? 3점

식 _____

답 _____

[6단원]

7 달리던 버스가 급정차해서 전체 승객의 $\frac{3}{10}$이 넘어졌습니다. 넘어지지 않은 승객은 전체의 얼마인지 소수로 나타내어 보세요. 3점

(   )

[2단원]

8 직사각형에 3개의 직선을 그렸습니다. 다음 도형에는 직각이 모두 몇 개 있을까요? 3점

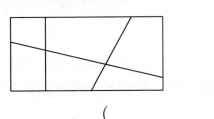

(   )

9 [4단원]
다음과 같은 정사각형 모양 방석의 한 변에 바느질한 길이가 45 cm입니다. 방석 테두리에 바느질한 길이는 모두 몇 cm일까요? 3점

45 cm

( )

10 [3단원]
□ 안에 들어갈 수가 더 작은 수의 기호를 쓰세요. 3점

㉠ $63 \div \square = 9$ ㉡ $6 \times \square = 48$

( )

11 [6단원]
두 수의 크기를 비교하여 ○ 안에 >, =, <를 알맞게 써넣으세요. 3점

$8.4 \bigcirc \dfrac{1}{10}$이 80개인 수

12 [2단원]   서술형
그림에서 찾을 수 있는 크고 작은 직사각형은 모두 몇 개인지 풀이 과정을 쓰고 답을 구하세요. 3점

풀이 _____

_____

_____

❸ _____

13 [2단원]
시계의 긴바늘과 짧은바늘이 이루는 작은 쪽의 각이 직각인 시각은 어느 것일까요? 3점 ·········· ( )

① 1시 30분   ② 6시   ③ 9시 30분
④ 3시   ⑤ 5시 15분

14 [2단원]   융합형
right triangle과 rectangle에는 right angle이 모두 몇 개 있을까요? 3점

· right angle: 직각
· right triangle: 직각삼각형
· rectangle: 직사각형
· square: 정사각형

( )

15 [4단원]
□ 안에 알맞은 숫자를 써넣으세요. 3점

$$\begin{array}{r} \square\,7 \\ \times\ \ \square \\ \hline 2\ \ 9\ \ 6 \end{array}$$

16 [1단원]
페트로나스 타워는 2개입니다. 두 빌딩의 높이의 합은 부르즈 할리파 빌딩의 높이보다 몇 m 더 높을까요? 3점

지식검색	건물의 높이			
빌 딩	도시	국가	높이	완공연도
부르즈 할리파	두바이	아랍에미레이트	829 m	2010
알베이트 타워	메카	사우디아라비아	558 m	2012
타이베이 101	타이베이	대만	509 m	2004
상하이 세계 금융 센터	상하이	중국	492 m	2008
국제 상업 센터	홍콩	중국	484 m	2010
페트로나스 타워1	쿠알라룸푸르	말레이시아	452 m	1998
페트로나스 타워2	쿠알라룸푸르	말레이시아	452 m	1998

( )

[1단원]

17 어떤 수에 521을 더했더니 901이 되었습니다. 어떤 수를 구하세요. 4점

(   )

[3단원]   서술형

18 강당에 있는 의자 56개를 7명이 똑같이 나누어 옮기려고 합니다. 한 번에 2개씩 옮긴다면 한 명이 몇 번씩 옮기면 되는지 풀이 과정을 쓰고 답을 구하세요. 4점

풀이 _____

_____

_____

_____

답 _____

[6단원]

19 하영이는 치즈 케이크의 $\frac{1}{10}$ 을 먹었습니다. 하영이가 먹고 남은 치즈 케이크는 전체의 얼마인지 분수로 나타내어 보세요. 4점

(   )

[2단원]

20 오른쪽 도형은 직사각형 모양의 종이를 자른 것입니다. 이 도형에서 연두색 선의 길이는 몇 cm일까요? 4점

9 cm

11 cm

(   )

[1단원]

21 서로 다른 2개의 세 자리 수가 있습니다. 두 수를 각각 구하세요. 4점

$$\begin{array}{r} \blacksquare\ \blacktriangle\ 9 \\ +\ 1\ 8\ \bullet \\ \hline 5\ 1\ 6 \end{array}$$

(   ), (   )

[5단원]   추론

22 오른쪽 시계를 왼쪽 시계의 시각으로 맞추려고 합니다. 오른쪽 시계의 초바늘을 몇 바퀴 뒤로 돌려야 할까요? 4점

10:19:20

(   )

[5단원]

23 어느 날 낮의 길이는 밤의 길이보다 1시간 47분 30초 더 길었습니다. 이날의 밤의 길이는 몇 시간 몇 분 몇 초일까요? 4점

(   )

[4단원]   문제 해결

24 두 사람이 가지고 있는 수 카드를 한 번씩만 사용하여 곱이 가장 큰 (몇십몇)×(몇)을 만들었습니다. 곱이 더 큰 사람은 누구일까요? 4점

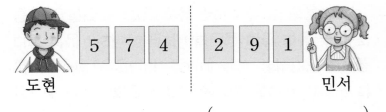

| 5 | 7 | 4 | | 2 | 9 | 1 |

도현   민서

(   )

25 [5단원]
하루에 5분씩 일정하게 빨라지는 시계가 있습니다. 이 시계를 오늘 낮 12시에 정확히 맞추어 놓았다면 일주일 뒤 낮 12시에 이 시계가 가리키는 시각은 몇 시 몇 분일까요? 4점

( )

26 [5단원]
한 변의 길이가 10 cm인 정사각형 모양의 종이를 반으로 접은 다음 점선을 따라 자르려고 합니다. 점선을 따라 잘라낸 삼각형의 세 변의 길이의 합은 몇 cm 몇 mm일까요? 4점

10 cm

5 cm 4 mm

2 cm 7 mm

( )

27 [3단원]
4장의 수 카드 0 , 3 , 5 , 4 중에서 2장을 뽑아 한 번씩만 사용하여 두 자리 수를 만들려고 합니다. 나눗셈의 몫이 자연수일 때, 만들 수 있는 두 자리 수 중에서 ㉠에 들어갈 수 있는 수를 구하세요. 4점

$$㉠ \div 7 = \boxed{}$$

( )

28 [1단원]
현서네 학교 3학년 학생 수는 368명이고, 4학년 학생 수는 461명입니다. 현서네 학교 3학년과 1학년을 더한 학생 수와 4학년과 6학년을 더한 학생 수가 같을 때, 1학년과 6학년 학생 수의 차는 몇 명일까요? 4점

( )

29 [5단원]
지호는 8시 10분에 자전거를 타고 출발하였고, 유진이는 지호보다 10분 늦게 출발하여 지호를 따라가고 있습니다. 지호와 유진이가 일정한 속도로 달릴 때, 만나는 시각은 몇 시 몇 분일까요? 4점

나는 자전거를 타고 10분 동안 4500 m씩 달려!

나는 10분 동안 6 km씩 달릴 수 있어.

지호

유진

( )

30 [6단원]
어느 제과점에서 오전에 만든 빵의 $\frac{3}{4}$만큼을 오전에 팔았습니다. 오후에는 오후에 만든 빵과 오전에 팔고 남은 빵을 모두 팔았습니다. 오전에 판 빵의 수와 오후에 판 빵의 수가 같을 때 오후에 만든 빵은 오전에 만든 빵의 얼마인지 분수로 나타내어 보세요. 4점

( )

[4단원]

1 □ 안에 알맞은 수를 써넣으세요. **2점**

$$\begin{array}{r} 2\ 8 \\ \times\quad 3 \\ \hline \boxed{} \\ 6\ 0 \\ \hline \boxed{} \end{array}$$

[5단원]

2 □ 안에 알맞은 수를 써넣으세요. **2점**

2시간 15분＋3분 20초
= □ 시간 □ 분 □ 초

[3단원]

3 7의 단 곱셈구구로 몫을 구할 수 있는 나눗셈은 어느 것일까요? **2점** .... (　　　)

① 42÷7　　　② 81÷9
③ 20÷5　　　④ 64÷8
⑤ 36÷6

[2단원]

4 그림에서 점 ㄱ을 꼭짓점으로 하는 크고 작은 각은 모두 몇 개일까요? **2점**

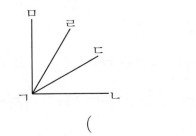

(　　　　　)

[3단원]　　　　　　　　　　　　　　 창의·융합

5 경운기로 한 번에 옮길 수 있는 쌀을 지게로 옮긴다면 몇 번 옮겨야 할까요? **3점**

＜운송수단＞

이름	경운기	지게
모양	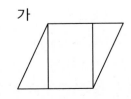	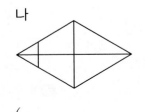
한 번에 옮길 수 있는 쌀의 수	24포대	3포대

(　　　　　)

[4단원]

6 초콜릿을 한 명에게 14개씩 6명에게 나누어 주었습니다. 나누어 준 초콜릿은 모두 몇 개일까요? **3점**

식 _____

답 _____

[6단원]

7 ㉠＋㉡의 값을 구하세요. **3점**

- 0.7은 $\frac{1}{10}$ 이 ㉠개입니다.
- 0.1이 ㉡개이면 0.5입니다.

(　　　　　)

[2단원]

8 찾을 수 있는 직각의 개수가 더 많은 도형의 기호를 쓰세요. **3점**

가　　　　　　　나

(　　　　　)

9 [6단원] 선우는 피자 한 판의 $\frac{6}{10}$을 먹었습니다. 선우가 피자를 먹은 부분과 남은 부분을 각각 소수로 나타내어 보세요. 3점

먹은 부분 (   )
남은 부분 (   )

10 [4단원] □ 안에 들어갈 수 있는 자연수 중에서 가장 큰 수를 구하세요. 3점

$$\boxed{} < 21 \times 4$$

(   )

11 [6단원] 1부터 9까지의 수 중에서 □ 안에 들어갈 수 있는 수에 모두 ○표 하세요. 3점

$$2.5 > 2.\boxed{} > 2.1$$

(1, 2, 3, 4, 5)

12 [3단원] 서술형
94명의 어린이가 현장 학습을 가려고 합니다. 46명의 어린이는 대형 버스를 타고, 나머지는 한 대에 6명씩 탈 수 있는 승합차에 나누어 타려고 합니다. 필요한 승합차는 모두 몇 대인지 풀이 과정을 쓰고 답을 구하세요. 3점

풀이 _____

_____

_____

답 _____

13 [1단원] □ 안에 알맞은 수를 구하세요. 3점

267 □ 342
896

(   )

14 [2단원] 그림에서 ㉮, ㉯, ㉰, ㉱는 모두 정사각형입니다. 정사각형 ㉱의 한 변의 길이는 몇 cm일까요? 3점

□ cm
15 cm ㉮ ㉰ ㉱ ㉯
25 cm

(   )

15 [3단원] 주차장에 자동차와 오토바이가 주차되어 있습니다. 바퀴 수를 세어 보니 모두 46개이고, 오토바이의 바퀴 수는 14개입니다. 주차장에 주차되어 있는 자동차는 모두 몇 대일까요? 3점

(   )

16 [3단원] 3장의 수 카드 2 , 4 , 6 을 한 번씩만 사용하여 (두 자리 수)÷(한 자리 수)의 나눗셈식을 만들려고 합니다. 몫이 가장 작은 나눗셈식의 몫을 구하세요. 3점

(   )

[6단원]

17 수의 크기를 비교하여 작은 수부터 차례로 쓰세요.
4점

| 2.5 0.8 3 2.7 |

(   )

[4단원]

18 주차장에 자동차가 14대씩 2줄, 19대씩 3줄 있습니다. 주차장에 있는 자동차는 모두 몇 대일까요? 4점

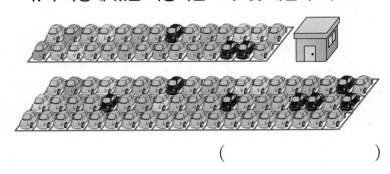

(   )

[1단원] 추론

19 4장의 수 카드 중에서 3장을 뽑아 한 번씩만 사용하여 세 자리 수를 만들려고 합니다. 만들 수 있는 세 자리 수 중에서 가장 큰 수와 가장 작은 수의 합을 구하세요. 4점

| 3 | 6 | 8 | 5 |

(   )

[3단원] 서술형

20 준호네 반 학생은 모두 33명입니다. 6명씩 3모둠을 만들고 나머지는 한 모둠에 5명씩 모둠을 만들어 미술 수업을 하려고 합니다. 준호네 반은 모두 몇 모둠이 되는지 풀이 과정을 쓰고 답을 구하세요. 4점

풀이 _____

_____

_____

답 _____

[5단원]

21 1분에 1 km씩 가는 자동차를 타고 집에서 출발하여 할머니 댁에 가는 데 3시간 13분이 걸렸습니다. 쉬지 않고 갔다면 자동차가 달린 거리는 몇 km일까요?
4점

(   )

[1단원]

22 영빈이는 종이학을 지난 주까지 397개를 접었고, 이번 주는 월요일부터 접기 시작해서 하루에 135개씩 매일 접으려고 합니다. 종이학을 모두 802개 접으려면 무슨 요일까지 접어야 할까요? 4점

(   )

[5단원]

23 운동장을 한 바퀴 도는 데 영수는 2분 18초, 지연이는 1분 53초가 걸립니다. 영수와 지연이가 같은 곳에서 출발하여 일정한 빠르기로 각각 9바퀴를 돌려고 합니다. 지연이는 영수보다 몇 분 몇 초 먼저 끝날까요? 4점

(   )

[1단원]

24 세 자리 수 ㉠2㉡과 ㉢㉣6의 합이 815일 때 ㉠+㉡+㉢+㉣의 값을 구하세요. 4점

(   )

25 [2단원] 우리나라의 전통 창호문입니다. 빨간선으로 표시된 곳에서 찾을 수 있는 크고 작은 정사각형은 모두 몇 개일까요? [4점]   창의·융합

(   )

26 [6단원] 1부터 9까지의 수 중에서 □ 안에 공통으로 들어갈 수 있는 수를 구하세요. [4점]

$$4.3 < 4.\boxed{} < 4.7$$
$$5.5 < 5.\boxed{} < 5.9$$

(   )

27 [5단원] 연주의 키는 1 m 31 cm입니다. 인석이의 키는 연주보다 80 mm 더 크고 예진이의 키는 인석이보다 90 mm 더 작습니다. 세 사람 중에서 가장 작은 사람의 키는 몇 cm일까요? [4점]

(   )

28 [5단원] 다음 도형에서 파란색 선의 길이는 몇 cm 몇 mm일까요? [4점]

6 cm
14 cm 6 mm
28 cm 5 mm

(   )

29 [4단원] ㉮◆㉯=(㉮+㉯)×(㉮-㉯)일 때 다음을 계산하세요. (단, 괄호 안을 먼저 계산합니다.) [4점]

$$(17 ◆ 15) × (4 ◆ 3)$$

(   )

30 [1단원] 4장의 수 카드 중에서 3장을 뽑아 한 번씩만 사용하여 세 자리 수를 만들려고 합니다. 만들 수 있는 세 자리 수 중에서 가장 큰 수와 가장 작은 수의 차가 518이라면, ㉠은 얼마일까요? (단, 수 카드의 수는 1부터 9까지의 서로 다른 수입니다.) [4점]

㉠ 5 7 9

(   )

정답 및 풀이

대표유형·기출문제 4~6쪽

대표유형 ① 578 / 578
대표유형 ② 145, 301 / 301명
대표유형 ③ >, 122 / 122 m
대표유형 ④ > / 188, >

1 7, 8, 9　　　**2** 334
3 553　　　　**4** 929
5 237　　　　**6** 1314
7 482, 42　　**8** 73명
9 <　　　　　**10** 378, 1342
11 657, 359
12 895+576=1471, 1471개
13 ㉢
14 506
15 729, 196, 533
16 (위에서부터) 7, 6, 3
17 197개　　　**18** 965
19 1215 m　　**20** 1212

풀이

1
```
   4 2 8
 + 3 6 1
 ─────────
   7 8 9
```

2
```
     4 10
   8 5̷ 2
 − 5 1 8
 ─────────
   3 3 4
```

3
```
     8 10
   9̷ 2 8
 − 3 7 5
 ─────────
   5 5 3
```

4
```
     1
   7 5 1
 + 1 7 8
 ─────────
   9 2 9
```

5
```
   3 11 10
   4̷ 2̷ 2
 − 1 8 5
 ─────────
   2 3 7
```

> **참고**
> 차를 구할 때에는 큰 수에서 작은 수를 뺍니다.

6 765+549=1314 (cm)

7
```
     1 1
   1 8 6          1 7 4
 + 2 9 6        − 1 3 2
 ─────────      ─────────
   4 8 2 ,          4 2
```

8 (입장한 여자 수)−(입장한 남자 수)
　=952−879=73(명)

9 ・223+298=521
　・817−159=658
　➡ 521<658

10 514−136=378, 378+964=1342

11 846−189=657, 657−298=359

12 (배구공 수)+(축구공 수)
　=895+576=1471(개)

13 각각 덧셈을 한 후 크기를 비교합니다.
　㉠ 829+791=1620
　㉡ 654+968=1622
　㉢ 993+487=1480
　➡ 1480<1620<1622이므로
　㉢<㉠<㉡입니다.

14 수 카드의 수의 크기를 비교하면 6>5>1
이므로 만들 수 있는 가장 큰 세 자리 수는
651입니다.
　➡ 651보다 145 작은 수: 651−145=506

> **참고**
> 가장 큰 세 자리 수를 만들 때에는 백, 십, 일의
> 자리 순서로 큰 수부터 차례로 써서 수를 만듭
> 니다.

15 차가 가장 크게 나오려면 가장 큰 수에서 가장 작은 수를 빼야 합니다.

$729 > 572 > 483 > 196$

➡ $729 - 196 = 533$

16

$$\begin{array}{r} \square\ 3\ 4 \\ -\ 5\ 9\ \square \\ \hline 1\ \square\ 8 \end{array}$$

• 일의 자리: $4 + 10 - \square = 8$

➡ $\square = 6$

• 십의 자리: $3 - 1 + 10 - 9 = \square$

➡ $\square = 3$

• 백의 자리: $\square - 1 - 5 = 1$

➡ $\square = 7$

주의

받아내림이 있는지 없는지 생각해 가며 □ 안에 알맞은 숫자를 구합니다.

17 (진주가 모은 구슬 수)

$+$(준영이가 모은 구슬 수)

$= 154 + 249 = 403$(개)

➡ (더 모아야 하는 구슬 수)

$= 600 - 403 = 197$(개)

참고

진주와 준영이가 모은 구슬 수의 합을 먼저 구합니다.

18 어떤 수를 □라 하면 $\square - 367 = 598$입니다.

➡ $598 + 367 = \square$, $\square = 965$

따라서 어떤 수는 965입니다.

19 (학교에서 도현이네 집까지의 거리)

$= 536 + 143 = 679$ (m)

➡ (민서네 집에서 학교까지의 거리)

$+$(학교에서 도현이네 집까지의 거리)

$= 536 + 679 = 1215$ (m)

20 $476 ◉ 368 = 476 + 368 + 368$

$= 844 + 368$

$= 1212$

2회 대표유형·기출문제 7~9쪽

대표유형 ① 5, 5 / 5개
대표유형 ② 4, 4 / 4개
대표유형 ③ 직각삼각형, 나, 다 / 나, 다
대표유형 ④ 사각형, 직사각형 / 직사각형

1 (　)(◯)(　)

2 직선 ㅁㅂ 또는 직선 ㅂㅁ

3 나, 다

4 각 ㅁㅂㅅ 또는 각 ㅅㅂㅁ

5 ㉡

6
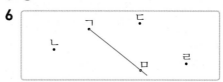

7 나, 라　　　　　**8** 라

9 없습니다　　　　**10** 5개, 3개

11 예
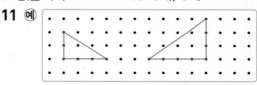

12 모범 답안 네 변의 길이는 모두 같지만 네 각이 모두 직각이 아닙니다.

13 14 m　　　　　**14** 5개

15 ㉠　　　　　　**16** 5개

17 9시　　　　　 **18** 43 cm

19 5개　　　　　 **20** 158 m

풀이

1 선분은 두 점을 곧게 이은 선입니다.

2 점 ㅁ과 점 ㅂ을 지나는 직선입니다.

3 한 각이 직각인 삼각형을 직각삼각형이라고 합니다.

직각삼각형은 나, 다입니다.

4 각의 꼭짓점이 가운데에 오도록 읽습니다.

5 └ 표시를 하면서 직각이 있는 도형을 찾습니다.

6 점 ㄱ에서 시작하여 점 ㅁ을 지나는 반직선을 긋습니다.

> **주의**
>
> 점 ㅁ에서 시작하여 점 ㄱ을 지나는 반직선은 반직선 ㅁㄱ이므로 반직선 ㄱㅁ과 다릅니다.

7 네 각이 모두 직각인 사각형은 나, 라입니다.

8 직사각형 나, 라 중에서 네 변의 길이가 모두 같은 것은 라입니다.

9 직사각형은 네 변의 길이가 모두 같지 않을 수도 있으므로 정사각형이라고 할 수 없습니다.

> **참고**
>
> 직사각형은 정사각형이라고 할 수 없지만 정사각형은 직사각형이라고 할 수 있습니다.

10 각은 5개이고, 직각 삼각자의 직각이 있는 부분과 꼭 맞게 겹쳐지는 각을 찾아보면 3개입니다.

11 한 각이 직각이 되도록 세 점을 이어 삼각형을 그립니다.

12 정사각형: 네 각이 모두 직각이고 네 변의 길이가 모두 같은 사각형

> **평가 기준**
>
> 정사각형에 대해 알고 주어진 도형에서 4개의 각이 모두 직각이 아닌 것을 찾아 이유를 바르게 썼으면 정답입니다.

13 직사각형은 마주 보는 두 변의 길이가 같습니다.
(필요한 색 테이프의 길이)
=(직사각형의 네 변의 길이의 합)
$=5+2+5+2=14\,(m)$

14 직각 삼각자의 직각이 있는 부분과 꼭 맞게 겹쳐지는 각을 찾아보면 5개입니다.

15 도형은 네 각이 모두 직각인 사각형이므로 직사각형입니다. 또, 네 변의 길이가 모두 같으므로 정사각형입니다.

16 직각삼각형 1개에는 직각이 1개, 정사각형 1개에는 직각이 4개 있습니다.

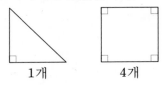

➜ $1+4=5(개)$

17 긴바늘이 숫자 12를 가리키면 몇 시입니다. 저녁 몇 시 중에서 긴바늘과 짧은바늘이 이루는 각이 직각인 시각은 9시입니다.
➜ 지연이가 잠을 잔 시각은 9시입니다.

18 (한 변이 7 cm인 정사각형의 네 변의 길이의 합)$=7+7+7+7=28\,(cm)$
➜ (성진이가 처음에 가지고 있던 철사의 길이)$=28+15=43\,(cm)$

19

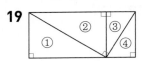

• 직각삼각형 1개로 이루어진 직각삼각형:
  ①, ②, ③, ④ ➜ 4개
• 직각삼각형 2개로 이루어진 직각삼각형:
  ②＋③ ➜ 1개
➜ $4+1=5(개)$

20

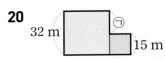

㉠$=32-15=17\,(m)$
(둘레)
$=32+32+32+15+15+15+17$
$=158\,(m)$

> **다른 풀이**
>
> 공원과 놀이터를 합친 곳의 둘레는 가로가 $32+15=47\,(m)$, 세로가 32 m인 직사각형의 네 변의 길이의 합과 같습니다.
> (둘레)$=47+32+47+32=158\,(m)$

3회 대표유형·기출문제   10~12쪽

대표유형 ❶ 6, 4 / 4장
대표유형 ❷ 6, 3, 6 / 6개
대표유형 ❸ 3, 8 / 24, 8, 3 /
          $24 \div 3 = 8$, $24 \div 8 = 3$
대표유형 ❹ 7, 7 / 7, 7

1 2   **2** (◯)(   )
3 5   **4** 24, 6
5 6, 7, 42 / 7, 6, 42
6 54 나누기 6은 9와 같습니다. / 9
7 $24 \div 3 = 8$, 8명   **8** 4, 4
9 $27 \div 3 = 9$, 9명
10 7, 3
11 7, 14 / $14 \div 2 = 7$, $14 \div 7 = 2$
12 >   **13** $48 \div 8 = 6$, 6번
14 36   **15** 4개
16 2   **17** 3
18 7명   **19** 8그루
20 32장

풀이

1 석류 16개를 8개씩 묶으면 2묶음이 됩니다.
➡ $16 \div 8 = 2$

2 $20 \div 4$의 몫은 5이고, $40 \div 5$의 몫은 8입니다.

3 30에서 6을 5번 빼면 0이 됩니다.
$30 - 6 - 6 - 6 - 6 - 6 = 0$
            5번
➡ $30 \div 6 = 5$

4 (전체 장미 수)÷(한 명에게 주는 장미 수)
   =(나누어 줄 수 있는 사람 수)
➡ $24 \div 4 = 6$

5 $42 \div 6 = 7$ $42 \div 6 = 7$
   $6 \times 7 = 42$ $7 \times 6 = 42$

7 (투호 놀이를 할 수 있는 사람 수)
   =(전체 화살 수)
       ÷(한 사람이 던지는 화살 수)
   =$24 \div 3 = 8$(명)
➡ 화살 24개를 한 사람이 3개씩 던지면 8명이 투호 놀이를 할 수 있습니다.

8 $8 \times \boxed{4} = 32$이므로 $32 \div 8 = \boxed{4}$입니다.

> **참고**
> 8의 단 곱셈구구에서 곱이 32인 경우를 찾아 나눗셈의 몫을 구할 수 있습니다.

9 (한 모둠의 학생 수)
   =(전체 학생 수)÷(모둠 수)
   =$27 \div 3 = 9$(명)

10 • 도넛 21개를 3명에게 똑같이 나누어 줄 때 한 명에게 줄 수 있는 도넛 수:
$21 \div 3 = 7$(개)
   • 도넛 21개를 7명에게 똑같이 나누어 줄 때 한 명에게 줄 수 있는 도넛 수:
$21 \div 7 = 3$(개)

11 컵이 2개씩 7묶음으로 모두 14개입니다.
➡ $2 \times 7 = 14$
$2 \times 7 = 14$ $2 \times 7 = 14$
$14 \div 2 = 7$ $14 \div 7 = 2$

12 나눗셈의 몫을 각각 구한 후 비교합니다.
$72 \div 8 = 9$, $56 \div 7 = 8$ ➡ $9 > 8$

13 (경기 횟수)=(전체 선수의 수)
            ÷(한 번에 달리는 선수의 수)
            =$48 \div 8 = 6$(번)

14 어떤 수를 □라 하면 $\square \div 9 = 4$입니다.
➡ $9 \times 4 = \square$, $\square = 36$
따라서 어떤 수는 36입니다.

> **참고**
> 어떤 수를 구한 후 바르게 구했는지 확인해 봅니다. ➡ $36 \div 9 = 4$ (◯)

15 (전체 쿠키 수)
　＝(한 접시에 담겨 있는 쿠키 수)
　　×(접시 수)
　＝8×3＝24(개)
➡ (한 명이 먹게 되는 쿠키 수)
　＝(전체 쿠키 수)÷(사람 수)
　＝24÷6＝4(개)

16 ・36÷6＝6
　➡ ㉠＝6
　・㉠÷3＝6÷3＝2
　➡ ㉡＝2

17 1★5＝15÷5
　➡ 15÷5＝3

18 (소라가 먹고 남은 사탕 수)
　＝50−1＝49(개)
　사탕 49개를 친구 한 명에게 7개씩 주면
　49÷7＝7(명)에게 나누어 줄 수 있습니다.

19 56÷8＝7이므로 56 m의 길을 8 m씩 7군
데로 나눌 수 있습니다.
➡ 나무 사이 간격 수가 7군데이고 시작과
끝에 모두 나무를 심어야 하므로 모두
7＋1＝8(그루)의 나무를 심게 됩니다.

참고
길의 시작과 끝에 모두 나무를 심을 경우
(나무 수)＝(나무 사이의 간격 수)＋1입니다.

20 가로와 세로를 6 cm씩 나누면
가로: 48÷6＝8, 세로: 24÷6＝4이므로
한 줄에 8장씩 4줄이 됩니다.

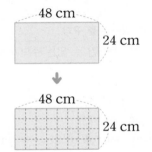

➡ 8×4＝32(장)

1회 단원 모의고사　　　13~16쪽

1 5, 5	**2** 다
3 나, 마	**4** 1226
5 27, 9 / 27, 9, 3	

6
```
    7 3 4
  − 3 6 8
  ───────
    3 6 6
```

7 6	**8** 186마리
9 >	**10** ④
11 89, 389	**12** 40÷5＝8, 8명
13 유진	**14** 1332, 154
15 7일	**16** 6 cm
17 ㉡	**18** 가
19 ㉢, ㉡, ㉠	**20** 12개
21 8 cm	**22** 16 cm

23 모범 답안 ❶ 765−396＝369이므로
369<3□9에서 □ 안에는 6보다 큰 수
인 7, 8, 9가 들어갈 수 있습니다.
❷ 따라서 □ 안에 들어갈 수 있는 수는
모두 3개입니다.　　　답 3개

24 4개

25 모범 답안 ❶ 줄을 선 학생은 모두
9×4＝36(명)입니다.
❷ 따라서 다시 한 줄에 6명씩 줄을 서면
36÷6＝6(줄)이 됩니다.　　　답 6줄

26 9	**27** 3가지
28 64 cm	**29** 567
30 436, 298	

풀이

1 사탕 25개를 5개씩 묶으면 5묶음이 됩니다.
➡ 25÷5＝5

2 한 각이 직각인 삼각형은 다입니다.

3 네 각이 모두 직각이고 네 변의 길이가 모두 같은 사각형은 나, 마입니다.

정답 및 풀이　**5**

4
$$\begin{array}{r} {}^{1}\;\;{}^{1}\;\;\;\\ 6\;8\;9\\ +\;5\;3\;7\\ \hline 1\;2\;2\;6 \end{array}$$

5 $3\times9=27$ 　$27\div3=9$
　　　　　　　　$27\div9=3$

6
$$\begin{array}{r} {}^{6}\;{}^{12}\;{}^{10}\\ 7\;\;3\;\;4\\ -\;3\;\;6\;\;8\\ \hline 3\;\;6\;\;6 \end{array}$$

같은 자리끼리 뺄 수 없을 때에는 바로 윗
자리에서 받아내림하여 계산합니다.

7 $48>8$이므로 $48\div8=6$입니다.

8 (올해 찾아온 흑두루미 수)
　－(지난해에 찾아온 흑두루미 수)
　$=511-325=186$(마리)

9 $14\div7=2$ ➡ $3>2$

10 ④ 직사각형은 네 변의 길이가 모두 같지는
　　않습니다.

> **참고**
> ⑤ 직사각형은 네 변의 길이가 모두 같지 않으
> 므로 정사각형이라고 할 수 없습니다.

11 $748-659=89$, $863-474=389$

12 초콜릿 40개를 한 명이 5개씩 먹으면 8명
　이 나누어 먹을 수 있습니다.

13 도현: 선분 7개 ➡ 바닥
　민서: 선분 7개 ➡ 창문
　지호: 선분 5개 ➡ 칠판
　유진: 선분 9개 ➡ 화분
　따라서 유진이가 그은 선분 수가 가장 많습
　니다.

14 합: $589+743=1332$
　차: $743-589=154$

15 $56\div8=7$(일)

16 정사각형은 네 변의 길이가 모두 같습니다.
　$24\div4=6$이므로 한 변의 길이를 6 cm로
　해야 합니다.

17 ㉠ $27\div\square=3$ ➡ $3\times\square=27$, $\square=9$
　㉡ $36\div\square=9$ ➡ $9\times\square=36$, $\square=4$
　➡ $9>4$

> **참고**
> • 3의 단 곱셈구구에서 곱이 27인 곱셈식은
> 　$3\times\boxed{9}=27$입니다.
> • 9의 단 곱셈구구에서 곱이 36인 곱셈식은
> 　$9\times\boxed{4}=36$입니다.

18
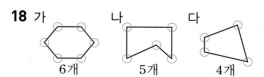
가　　　　나　　　　다
6개　　　5개　　　4개

19 ㉠ $923-245=678$
　㉡ $275+967=1242$
　㉢ $878+423=1301$
　➡ ㉢>㉡>㉠

20 삼각형 1개로 이루어진 직각삼각형: 8개
　삼각형 4개로 이루어진 직각삼각형: 4개
　➡ $8+4=12$(개)

21 사각형 ㄱㄴㄷㅇ이 정사각형이므로
　(변 ㄴㄷ)$=8$ cm
　사각형 ㅅㄷㄹㅂ이 정사각형이므로
　(변 ㄷㄹ)$=6$ cm
　➡ (변 ㄹㅁ)$=22-8-6=8$ (cm)

22 (변 ㅇㅈ)$=$(변 ㅅㅂ)$=6$ cm
　(변 ㅇㅅ)$=$(변 ㅈㅂ)$=8-6=2$ (cm)
　따라서 직사각형 ㅇㅅㅂㅈ의 네 변의 길이
　의 합은 $6+2+6+2=16$ (cm)입니다.

23

채점 기준		
❶ $765-396$을 계산하여 □ 안에 들어 갈 수 있는 수를 구함.	3점	4점
❷ □ 안에 들어갈 수 있는 수의 개수를 구함.	1점	

24 (한 상자에 담은 찹쌀떡 수)
　$=72\div9=8$(개)
　따라서 도현이와 민서는 찹쌀떡을
　$8\div2=4$(개)씩 먹을 수 있습니다.

25

채점 기준		
❶ 줄을 선 전체 학생 수를 구함.	2점	
❷ 한 줄에 6명씩 줄을 섰을 때 줄 수를 구함.	2점	4점

26 $64 \div 8 = 8$이므로 몫이 8입니다.
$72 \div \square$의 몫도 8이므로 $72 \div \square = 8$입니다.
따라서 $72 \div \square = 8$ ➡ $8 \times \square = 72$, $\square = 9$입니다.

27 볼펜: $6 \times 4 = 24$ ➡ $24 \div 6 = 4$
찰흙: $6 \times 6 = 36$ ➡ $36 \div 6 = 6$
도화지: $6 \times 7 = 42$ ➡ $42 \div 6 = 7$
따라서 남김없이 똑같이 나누어 가질 수 있는 학용품은 볼펜, 찰흙, 도화지로 모두 3가지입니다.

28 세로가 가로보다 더 짧으므로 세로 길이 16 cm에 맞춰 가장 큰 정사각형을 만들면 한 변은 16 cm입니다.
➡ (만든 정사각형의 네 변의 길이의 합)
$= 16 + 16 + 16 + 16 = 64$ (cm)

29 어떤 세 자리 수의 백의 자리 숫자와 십의 자리 숫자를 서로 바꾼 세 자리 수를 $\square$라 하면 $\square + 163 = 820$입니다.
➡ $820 - 163 = \square$, $\square = 657$
따라서 바꾼 세 자리 수가 657이므로 처음 세 자리 수는 567입니다.

> 주의
> 백의 자리 숫자와 십의 자리 숫자를 서로 바꾼 수를 답하지 않도록 주의합니다.

30
```
    4 ㉢ 6
  - ㉠ 9 ㉡
  ─────────
    1 3 8
```
• 일의 자리: $6 + 10 - ㉡ = 8$ ➡ $㉡ = 8$
• 십의 자리: $㉢ - 1 + 10 - 9 = 3$
              ➡ $㉢ = 3$
• 백의 자리: $4 - 1 - ㉠ = 1$ ➡ $㉠ = 2$
따라서 두 수는 각각 436, 298입니다.

---

1 ㉢　　　　　　　　　**2** 점 ㅂ
3 439　　　　　　　　**4** 15, 3, 5
5 ④　　　　　　　　　**6** 764
7 $4 \times 6 = 24$ / $24 \div 4 = 6$, $24 \div 6 = 4$
8 75 cm
9 9장
10

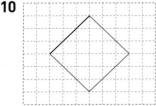

11 ㉠　　　　　　**12** 직각삼각형, 2개
13 112개
14 예 217, 369
15 모범 답안 ❶ $485 + ㉠ = 932$를 뺄셈식으로 나타내면 $932 - 485 = ㉠$입니다.
❷ 따라서 $932 - 485 = 447$이므로 $㉠ = 447$입니다.　　　❸ 447
16 정우, 69개　　　**17** 158 m
18 16대
19 ① 예 네 각이 모두 직각이 아닙니다.
　　② 예 네 변의 길이가 모두 같지 않습니다.
20 ④
21 모범 답안 ❶ 정사각형 모양 1개를 만드는 데 필요한 철사의 길이는 $72 \div 9 = 8$ (cm)입니다.
❷ 따라서 정사각형은 네 변의 길이가 모두 같으므로 한 변을 $8 \div 4 = 2$ (cm)로 해야 합니다.　　　❸ 2 cm
22 6, 8, 7　　　　　**23** ㉢
24 30, 6 / 5　　　　**25** 12개
26 3　　　　　　　**27** 2일
28 297　　　　　　**29** 9 cm
30 175

풀이

1 선분을 양쪽으로 끝없이 늘인 곧은 선을 찾습니다.

2 각의 두 변이 시작하는 점이 꼭짓점입니다.

3
$$\begin{array}{r} {\scriptstyle 7\ 12\ 10} \\ \cancel{8}\ \cancel{3}\ 1 \\ -\ 3\ 9\ 2 \\ \hline 4\ 3\ 9 \end{array}$$

4 $15-3-3-3-3-3=0$ ➡ $15\div3=5$
5번

5 ① ⌐ : 1개   ② ◿ : 1개
③ △ : 0개   ④ ▱ : 4개
⑤ ⬠ : 0개

각이 아니라 직각의 개수를 구합니다.

6 수 모형이 나타내는 수는 528이므로
$528+236=764$입니다.

7 팽이가 4개씩 6묶음이므로 곱셈식으로 나타내면 $4\times6=24$입니다.
$4\times6=24$ ⟨ $24\div4=6$
$24\div6=4$

8 (민서의 색 테이프의 길이)
−(지호의 색 테이프의 길이)
$=416-341=75$ (cm)

9 $36\div4=9$(장)

10 네 각이 모두 직각이고 네 변의 길이가 주어진 선분의 길이와 같게 그립니다.

11 ㉠ $54\div9=6$, ㉡ $35\div7=5$
➡ $6>5$

12 한 각이 직각인 삼각형이 2개 생깁니다.
↳직각삼각형

13 (더 만들어야 하는 만두 수)
$=300-188=112$(개)

14 합이 586이므로 더하는 두 수 중에서 한 수는 217입니다.
➡ $351+217=568$ (×),
$217+369=586$ (○)

15

❶ $485+㉠=932$를 뺄셈식으로 나타냄.	2점	3점
❷ ㉠에 알맞은 수를 구함.	1점	

16 정우: $173+486=659$(개)
세연: 590개
➡ 정우가 구슬을 $659-590=69$(개) 더 많이 가지고 있습니다.

17 (철근의 길이)=(밭의 둘레)
$=47+32+47+32$
$=158$ (m)

18 (남학생이 탄 보트 수)$=48\div6=8$(대)
(여학생이 탄 보트 수)$=64\div8=8$(대)
➡ $8+8=16$(대)

19
정사각형은 네 각이 모두 직각이고, 네 변의 길이가 모두 같은 사각형임을 알고 이유를 바르게 썼으면 정답입니다.

20 ③ 정사각형은 네 각이 모두 직각이므로 직사각형이라고 할 수 있습니다.
④ 직사각형은 네 변의 길이가 항상 같은 것은 아닙니다.

21

❶ 정사각형 모양 1개를 만드는 데 필요한 철사의 길이를 구함.	2점	4점
❷ 정사각형의 한 변의 길이를 구함.	2점	

22
$$\begin{array}{r} ㉠\ 4\ 3 \\ -\ 2\ ㉡\ 6 \\ \hline 3\ 5\ ㉢ \end{array}$$

• 일의 자리: $3+10-6=㉢$, $㉢=7$
• 십의 자리: $4-1+10-㉡=5$, $㉡=8$
• 백의 자리: $㉠-1-2=3$, $㉠=6$

23 ㉠ $8 \div 4 = 2 \rightarrow \square = 2$

㉡ $21 \div \square = 3 \rightarrow \square \times 3 = 21 \rightarrow \square = 7$

㉢ $18 \div 2 = 9 \rightarrow \square = 9$

㉣ $16 \div \square = 4 \rightarrow \square \times 4 = 16 \rightarrow \square = 4$

24 몫이 가장 크려면 가장 큰 수를 가장 작은 수로 나누어야 합니다.

$\rightarrow 30 \div 6 = 5$

25

①	②
③	④
	⑤

- ①, ②, ③, ④, ⑤ $\rightarrow$ 5개
- ①②, ①③, ②④, ④⑤ $\rightarrow$ 4개
- ②④⑤, ③④⑤ $\rightarrow$ 2개
- ①②③④⑤ $\rightarrow$ 1개

$\rightarrow 5 + 4 + 2 + 1 = 12$(개)

26 (어떤 수) $\div 6 = 4$

$\rightarrow 4 \times 6 = 24$이므로 (어떤 수) $= 24$입니다.

$\rightarrow$ (어떤 수) $\div 8 = 24 \div 8 = 3$

27 $7 \times 4 = 28$이므로

(남은 쪽수) $= 38 - 28 = 10$(쪽)입니다.

$10 \div 5 = 2$이므로 5쪽씩 2일 동안 읽어야 합니다.

28 $486 + 127 = 613$

$613 = 911 - \square$라 하면

$911 - 613 = \square$, $\square = 298$

$\rightarrow 486 + 127 < 911 - \square$에서 $\square$ 안에는 298보다 작은 수가 들어갈 수 있으므로 $\square$ 안에 들어갈 수 있는 수 중 가장 큰 수는 297입니다.

29 (철사의 길이) $= 11 + 7 + 11 + 7 = 36$ (cm) 따라서 만들 수 있는 가장 큰 정사각형의 한 변의 길이는 $36 \div 4 = 9$ (cm)입니다.

30 $316 \blacklozenge 457 = 316 + 316 - 457$
$= 632 - 457 = 175$

> **참고**
>
> 덧셈과 뺄셈이 섞여 있는 식은 앞에서부터 차례로 계산합니다.

4회 대표유형·기출문제 24~26쪽

대표유형 ❶ 12, 2, 1, 120, 0 / 1, 2, 0

대표유형 ❷ (위에서부터) 2, 2, 4, 8, 4 / 84

대표유형 ❸ 4, 172 / 172개

1 9, 9 **2** 6, 66

3 80, 8 / 88

4 (1) 36 (2) 244

5 208

6
$$\begin{array}{r} {}^{2} \\ 1\ 4 \\ \times\quad 7 \\ \hline 9\ 8 \end{array}$$

7 195 g

8 $<$

9 ✕

10 $30 \times 7 = 210$, 210명

11 219마리

12 132 **13** 72점

14 ㉡

15 $24 \times 7 = 168$, 168시간

16 78살 **17** 87

18 200개 **19** 4줄

20 $54 \times 6 = 324$

풀이

1 (몇십)×(몇)의 계산은 (몇)×(몇)의 계산 결과 뒤에 0을 1개 씁니다.

2 (한 봉지에 담은 토마토 수)×(봉지 수)
$= 11 \times 6 = 66$(개)

3 22는 20과 2의 합이므로 20과 4의 곱인 80과 2와 4의 곱인 8을 더하여 계산합니다.

4 (1)
$$\begin{array}{r} 1\ 2 \\ \times\quad 3 \\ \hline 6 \end{array} \quad \rightarrow \quad \begin{array}{r} 1\ 2 \\ \times\quad 3 \\ \hline 3\ 6 \end{array}$$

(2)
$$\begin{array}{r} 6\ 1 \\ \times\quad 4 \\ \hline 4 \end{array} \quad \rightarrow \quad \begin{array}{r} 6\ 1 \\ \times\quad 4 \\ \hline 2\ 4\ 4 \end{array}$$

5 $52 \times 4 = 208$

6 십의 자리를 계산한 값 70에 일의 자리에서 올림한 수 20을 더하여 십의 자리에 9를 써야 합니다.

> **주의**
>
> 올림한 수를 십의 자리 위에 작게 써서 잊지 않도록 합니다.

7 특란 1개의 무게는 65 g이므로 특란 3개의 무게는 $65 \times 3 = 195$ (g)입니다.

> **주의**
>
> 세 종류의 달걀(대란, 특란, 왕란) 중에서 특란 3개의 무게를 구합니다.

8 $40 \times 2 = 80$
→ $80 < 100$이므로 $40 \times 2 < 100$입니다.

9

$$\begin{array}{r} 2\ 1 \\ \times\quad 6 \\ \hline 1\ 2\ 6 \end{array}, \qquad \begin{array}{r} \overset{4}{}1\ 6 \\ \times\quad 8 \\ \hline 1\ 2\ 8 \end{array}$$

10 (체험 학습을 간 3학년 학생 수)
= (버스 한 대에 탄 학생 수) × (버스 수)
= $30 \times 7 = 210$(명)

11 (전체 꽃게 수)
= (한 상자에 있는 꽃게 수) × (상자 수)
= $73 \times 3 = 219$(마리)

12 $11 \times 4 = 44$, $44 \times 3 = 132$이므로 ㉠ = 132 입니다.

> **참고**
>
> 앞에서부터 차례대로 계산합니다.

13 (준혁이가 얻은 점수)
= $12 \times 6 = 72$(점)

14 ㉠ $31 \times 3 = 93$ ㉡ $47 \times 2 = 94$
→ $93 < 94$이므로 곱이 더 큰 것은 ㉡입니다.

15 일주일은 7일입니다.
→ (하루의 시간) × (날수)
= $24 \times 7 = 168$(시간)

16 형의 나이: $10 + 3 = 13$(살)
할아버지의 나이: $13 \times 6 = 78$(살)

> **참고**
>
> ■의 ▲배는 ■ × ▲로 계산합니다.

17 어떤 수를 □라 하면 □ + 3 = 32,
$32 - 3 = \square$, □ = 29입니다.
따라서 바르게 계산하면 $29 \times 3 = 87$입니다.

18 • 오리 한 마리의 다리는 2개입니다.
(오리 62마리의 다리 수)
= $2 \times 62 = 62 \times 2$
= 124(개)
• 양 한 마리의 다리는 4개입니다.
(양 19마리의 다리 수)
= $4 \times 19 = 19 \times 4$
= 76(개)
→ $124 + 76 = 200$(개)

> **참고**
>
> 두 수의 순서를 바꾸어 곱해도 결과는 같습니다.
> 예 $4 \times 3 = 12 = 3 \times 4 = 12$

19 (바둑돌의 수) = $13 \times 7 = 91$(개)
19개씩 놓을 수 있는 줄 수를 □줄이라 하면
$19 \times \square < 91$에서 □ = 1, 2, 3, 4입니다.
따라서 최대한 4줄까지 놓을 수 있습니다.

> **참고**
>
> 먼저 바둑판에 놓인 바둑돌의 수를 구합니다.
> → 7개씩 13줄이므로
> $7 \times 13 = 13 \times 7 = 91$(개)입니다.

20 ㉠ ㉡ × ㉢에서 ㉢에 가장 큰 수, ㉠에 두 번째로 큰 수, ㉡에 세 번째로 큰 수를 놓습니다.
→ 6 > 5 > 4이므로 곱이 가장 큰 곱셈식은 $54 \times 6 = 324$입니다.

> **참고**
>
> • 곱이 가장 큰 (몇십몇) × (몇) 만들기
> 곱해지는 한 자리 수에 가장 큰 수를 쓰고, 그 다음 큰 수를 두 자리 수의 십의 자리, 나머지 수를 두 자리 수의 일의 자리에 써서 만듭니다.

대표유형 **1** 3, 3, 43 / 43 mm

대표유형 **2** 100, 600, 600 / 7 km 600 m

대표유형 **3** (위에서부터) 9, 60, 4, 32 /
4분 32초

1 6, 5   **2** 12, 31, 12

3 15분 36초   **4** 공원, 소방서

5 <

6 (선 연결)

7 72 mm

8 ㉡

9 ⟨예⟩ 눈을 한 번 깜박이는 데 1초가 걸립니다.

10 ②   **11** ㉣

12 소아   **13** 3시간 55분

14 7시 14분 33초

15 7시 48분 46초

16 22 cm 4 mm

17 (위에서부터) 47, 53, 6

18 오전 10시 30분   **19** 5 km 50 m

20 6시 48분

풀이

1 연필의 길이는 6 cm보다 5 mm 더 깁니다.
➡ 6 cm보다 5 mm 더 긴 것은
6 cm 5 mm입니다.

2 짧은바늘은 12와 1 사이를 가리키므로 12시,
긴바늘은 6에서 작은 눈금 1칸 더 간 곳을
지나가므로 31분, 초바늘은 2에서 작은 눈
금 2칸 더 간 곳을 가리키므로 12초입니다.
➡ 12시 31분 12초

3 분은 분끼리, 초는 초끼리 더합니다.

4 학교에서 약 1 km 떨어진 곳에 있는 장소는
학교와의 거리가 학교에서 병원까지의 거
리의 2배만큼인 공원, 소방서입니다.

> **참고**
> 학교에서 병원까지의 거리가 약 500 m임을 이용
> 하여 약 1 km 떨어진 곳에 있는 장소를 찾습니다.

5 552초=540초+12초
     =9분+12초=9분 12초
➡ 9분 12초<9분 22초이므로
552초<9분 22초입니다.

> **참고**
> 1분=60초임을 이용합니다.

6 • 소시지의 길이: 약 15 cm
• 산책길의 길이: 약 2 km
• 친구의 발 길이: 약 210 mm

7 7 cm 2 mm=70 mm+2 mm
           =72 mm

8 ㉠ 3790 m=3 km 790 m
➡ 3 km 790 m<3 km 800 m이므로
㉡이 더 깁니다.

> **참고**
> 1 km=1000 m임을 이용합니다.

9 | 채점 기준 |
1초 동안 할 수 있는 일을 찾아 바르게 문장을 썼으면
정답입니다.

10 ② 3000 m=3 km

11 ㉣ 지리산의 높이는 1 km보다 높습니다.

12 경미: 5분 30초=300초+30초=330초
➡ 330초>325초이므로 소아가 책을 더
빨리 옮겼습니다.

13 (버스를 탄 시간)+(기차를 탄 시간)
=2시간 15분+1시간 40분=3시간 55분

14 (영화를 보기 시작한 시각)
=(영화가 끝난 시각)−(영화를 본 시간)
=8시 48분 53초−1시간 34분 20초
=7시 14분 33초

> **참고**
> (시각)+(시간)=(시각), (시간)+(시간)=(시간)
> (시각)−(시간)=(시각), (시각)−(시각)=(시간)

15 시계가 나타내는 시각: 5시 13분 46초

→ 5시 13분 46초＋2시간 35분
  ＝7시 48분 46초

참고

시간의 계산을 할 때 '～후'의 시각은 시간의 덧셈을 이용하고, '～전'의 시각은 시간의 뺄셈을 이용합니다.

16 정사각형은 네 변의 길이가 모두 같습니다.

(네 변의 길이의 합)＝56＋56＋56＋56
   ＝56×4＝224 (mm)

→ 224 mm＝220 mm＋4 mm
  ＝22 cm 4 mm

17

	7 시	18 분	35 초
－		ⓛ분	㉠초
	ⓒ시	30 분	42 초

• 35＋60－㉠＝42, ㉠＝53
• 18－1＋60－ⓛ＝30, ⓛ＝47
• 7－1＝ⓒ, ⓒ＝6

18 2교시 수업이 끝날 때까지 수업 시간은 2번, 쉬는 시간은 1번 있습니다.

(전체 수업 시간)＝40×2＝80(분)
→ 80분＝1시간 20분
(전체 쉬는 시간)＝10분

→ (2교시 수업이 끝나는 시각)
  ＝9시＋1시간 20분＋10분＝10시 30분

19 (집에서 문구점까지의 거리)
＝27 km 780 m－19 km 580 m
＝8 km 200 m
(문구점에서 학교까지의 거리)
＝13 km 250 m－8 km 200 m
＝5 km 50 m

20 하루는 24시간입니다. 24시간 동안 8분씩 늘어지므로 12시간 동안 4분씩 늘어집니다. 오늘 오전 7시부터 내일 오후 7시까지는 8＋4＝12(분) 늘어집니다.
따라서 내일 오후 7시에 시계는
7시－12분＝6시 48분을 가리킵니다.

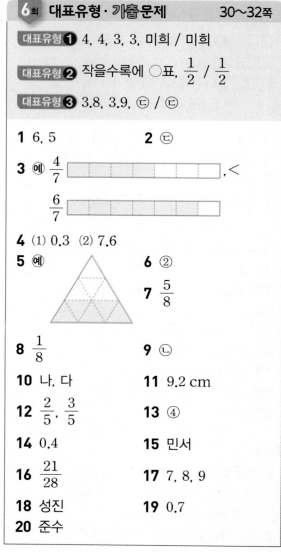

6회 대표유형·기출문제 30～32쪽

대표유형 ❶ 4, 4, 3, 3, 미희 / 미희
대표유형 ❷ 작을수록에 ○표, $\frac{1}{2}$ / $\frac{1}{2}$
대표유형 ❸ 3.8, 3.9, ⓒ / ⓒ

1 6, 5　　　　**2** ⓒ

3 예 $\frac{4}{7}$ [ ], <　$\frac{6}{7}$ [ ]

4 (1) 0.3　(2) 7.6

5 예　　　　**6** ②
7 $\frac{5}{8}$

8 $\frac{1}{8}$　　　　**9** ⓒ

10 나, 다　　**11** 9.2 cm

12 $\frac{2}{5}$, $\frac{3}{5}$　　**13** ④

14 0.4　　　**15** 민서

16 $\frac{21}{28}$　　**17** 7, 8, 9

18 성진　　　**19** 0.7

20 준수

풀이

2 ⓒ 나누어진 4조각의 크기와 모양이 다릅니다.

4 (1) 1 mm＝0.1 cm이므로
  3 mm＝0.3 cm입니다.
  (2) 6 mm＝0.6 cm이므로
  7 cm 6 mm＝7 cm＋0.6 cm
     ＝7.6 cm입니다.

5 전체를 똑같이 9칸으로 나눈 것 중의 5칸에 색칠합니다.

6 ② 1.9 → 일 점 구

7 다트판 전체를 똑같이 8칸으로 나눈 것 중 '선물'이 적힌 부분은 5칸입니다.

→ 선물을 받을 수 있는 부분: 전체의 $\dfrac{5}{8}$

8 8>4이므로 $\dfrac{1}{8}<\dfrac{1}{4}$입니다.

9 ⓒ 7.9>7.2

10 주어진 도형은 전체를 똑같이 6으로 나눈 것 중의 3이므로 전체가 6이 될 수 있는 도형을 모두 찾으면 나, 다입니다.

11 $9\,\text{cm}\;2\,\text{mm}=9\,\text{cm}+2\,\text{mm}$
　　　　　　$=9\,\text{cm}+0.2\,\text{cm}$
　　　　　　$=9.2\,\text{cm}$

12 기름: $\dfrac{(\text{기름 부분})}{(\text{전체})}=\dfrac{2}{5}$

　　물: $\dfrac{(\text{물 부분})}{(\text{전체})}=\dfrac{3}{5}$

13

```
       2        5        8
0     10       10       10     1
├──────┼────────┼────────┼──────┤
0            0.4      0.7      1
```

→ $\dfrac{8}{10}$에 가장 가까운 수는 ④ 0.7입니다.

14 남은 케이크는 10−3−3=4(조각)이므로 남은 케이크는 전체의 $\dfrac{4}{10}$입니다.

→ 분수 $\dfrac{4}{10}$를 소수로 나타내면 0.4입니다.

15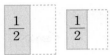
　　　민서　　　도현

민서의 피자 한 판이 더 크다면 민서 피자의 $\dfrac{1}{2}$이 도현이 피자의 $\dfrac{1}{2}$보다 크기 때문에 민서의 말이 맞습니다.

16 분모가 같은 분수는 분자가 클수록 큽니다.

→ $\dfrac{21}{28}>\dfrac{13}{28}>\dfrac{9}{28}$

17 분자가 모두 1로 같으므로 분모를 비교하면 6<□<10입니다. → □ 안에 들어갈 수 있는 자연수는 7, 8, 9입니다.

18 인영이의 남은 우유: 전체의 $\dfrac{1}{8}$

　　성진이의 남은 우유: 전체의 $\dfrac{1}{7}$

→ $\dfrac{1}{8}<\dfrac{1}{7}$이므로 우유가 더 많이 남은 사람은 성진입니다.

19 $\dfrac{3}{10}=0.3$이고 0.1이 8개인 수는 0.8입니다.

→ 0.3<0.■<0.8이므로 0.■ 중에서 가장 큰 수는 0.7입니다.

20 남은 김밥은 전체를 똑같이 9로 나눈 것 중의 9−4−2=3이므로 승기가 먹은 김밥은 전체의 $\dfrac{3}{9}$입니다.

→ $\dfrac{2}{9}<\dfrac{3}{9}<\dfrac{4}{9}$이므로 김밥을 가장 적게 먹은 사람은 준수입니다.

3회 단원 모의고사 33~36쪽

1 ( ) (○) ( )

2
$$
\begin{array}{r}
1\;6 \\
\times\quad 5 \\
\hline
3\;0 \\
5\;0 \\
\hline
8\;0
\end{array}
$$

3 11, 32, 24

4 2.6

5 96

6 0.7 m

7 ㉠

8 $\frac{5}{6}$, >, $\frac{4}{6}$

9 ㉡

10 5시 45분

11 124 mm

12 $\frac{1}{20}$

13 $\frac{3}{8}$

14 ( )
(○)
( )

15 4

16 (위에서부터) 3, 6

17 3, 36, 45

18 800 m

19 모범 답안 ❶ ㉠㉡×㉢에서 곱이 가장 작으려면 ㉢에 가장 작은 수, ㉠에 두 번째로 작은 수, ㉡에 세 번째로 작은 수를 놓으면 되므로 68×3=204입니다.
❷ 곱이 가장 작은 곱셈식의 계산 결과는 204입니다. ❸ 204

20 0.3

21 구미

22 94개

23

24 5분 57초

25 0.5, 0.6, 0.7

26 80권

27 모범 답안 ❶ 색 테이프 2장의 길이의 합은 64+64=128 (mm)입니다.
❷ 겹쳐진 부분의 길이는 128−99=29 (mm)입니다.
➔ 29 mm=20 mm+9 mm
=2 cm 9 mm
❸ 2 cm 9 mm

28 3시간 2분 53초, 오전 11시 2분 53초

29 684

30 189

풀이

1 나누어진 조각의 크기와 모양이 같은 것을 찾습니다.

2 일의 자리를 계산한 30과 십의 자리를 계산한 50을 더하여 80을 구합니다.

3 짧은바늘은 11과 12 사이를 가리키므로 11시, 긴바늘은 6에서 작은 눈금 2칸 더 간 곳을 지나가므로 32분, 초바늘은 4에서 작은 눈금 4칸 더 간 곳을 가리키므로 24초입니다. ➔ 11시 32분 24초

4 1 km를 10칸으로 똑같이 나눈 작은 눈금 한 칸의 길이는 0.1 km입니다.
➔ 2 km+0.6 km=2.6 km

5 32×3=96

6 0.1이 7개이면 0.7입니다.
따라서 펭귄의 키는 0.7 m입니다.

7 ㉠ 7 cm 3 mm=70 mm+3 mm
=73 mm
㉡ 70 mm
➔ 73 mm>70 mm이므로 길이가 더 긴 것은 ㉠입니다.

8 왼쪽 도형: $\frac{5}{6}$, 오른쪽 도형: $\frac{4}{6}$ ➔ $\frac{5}{6}>\frac{4}{6}$

9 ㉠ 30의 6배: 30×6=180
㉡ 65+65+65=65×3=195
➔ 180<195이므로 계산 결과가 더 큰 것은 ㉡입니다.

10 4시 30분+1시간 15분=5시 45분

11 12.4 cm=12 cm+0.4 cm
=120 mm+4 mm
=124 mm
➔ 지선이는 리본을 124 mm씩 잘라야 합니다.

12 20>10>3이므로 $\frac{1}{20}<\frac{1}{10}<\frac{1}{3}$입니다.

13 $\dfrac{(㉠\;마디\;수)}{(전체\;마디\;수)}=\dfrac{3}{8}$

14 • 0.1이 27개인 수: 2.7

• $\dfrac{1}{10}$이 30개인 수: 0.1이 30개인 수와

　　　　　　　　　 같으므로 3입니다.

• 3과 0.1만큼인 수: 3.1

15 $60 \times 5 = 300$이므로 $75 \times \square = 300$입니다.

$75 \times 2 = 150$, $75 \times 3 = 225$,

$75 \times 4 = 300$, $75 \times 5 = 375$이므로

$\square$ 안에 알맞은 수는 4입니다.

16
$$
\begin{array}{r}
\boxed{ⓒ}\;7 \\
\times \qquad 8 \\
\hline
2\;9\;\boxed{ⓐ}
\end{array}
$$

• $7 \times 8 = 56$이므로 ⓐ=6입니다.

• ⓒ$\times 8 + 5 = 29$이므로 ⓒ$\times 8 = 24$, ⓒ=3입니다.

17
$$
\begin{array}{r}
6시간\;\;44분\;\;57초 \\
-\;3시간\;\;\;\;8분\;\;12초 \\
\hline
3시간\;\;36분\;\;45초
\end{array}
$$

18 1 km=1000 m이고 1000 m는 200 m보다 800 m 더 깁니다.

따라서 30 km 200 m에서 800 m를 더 걸으면 31 km가 되므로 경아는 800 m를 걸었습니다.

19

채점 기준		
❶ 곱이 가장 작은 곱셈식을 만듦.	2점	4점
❷ 곱이 가장 작은 곱셈식의 계산 결과를 구함.	2점	

20

감자　　　배추

0 ── 0.3 ── 0.7 ── 1

➡ 감자와 배추를 심고 남은 밭은 전체의 0.3입니다.

21 (수지가 도착한 시각)

=16시 46분+2시간 58분=19시 44분

➡ 수지가 간 도시는 구미입니다.

22 (1등급 사과의 수)=$17 \times 2 = 34$(개)

(2등급 사과의 수)=$20 \times 3 = 60$(개)

➡ (전체 사과의 수)=$34 + 60 = 94$(개)

23 (숙제를 시작한 시각)

=(숙제를 마친 시각)−(숙제를 한 시간)

=5시 30분 30초−1시간 48분 20초

=3시 42분 10초

24 • 도현: 118초=60초+58초=1분 58초

• 지호: 1분 53초

• 유진: 126초=120초+6초=2분 6초

➡ 1분 58초+1분 53초+2분 6초

=3분 51초+2분 6초=5분 57초

25 ⊙: 0.4, ⓒ: 0.8

$0.4 < 0.\blacksquare < 0.8$에서 ■ 안에 들어갈 수 있는 수는 5, 6, 7입니다.

➡ 0.5, 0.6, 0.7

> **참고**
>
> $0.4 < 0.\blacksquare < 0.8$ ➡ $4 < \blacksquare < 8$

26 (㉮ 모둠의 학생들에게 주는 공책 수)

=$16 \times 3 = 48$(권)

(㉯ 모둠의 학생들에게 주는 공책 수)

=$16 \times 2 = 32$(권)

➡ (필요한 공책 수)=$48 + 32 = 80$(권)

27

채점 기준		
❶ 색 테이프 2장의 길이의 합을 구함.	2점	4점
❷ 겹쳐진 부분의 길이는 몇 cm 몇 mm 인지 구함.	2점	

28 ⊙ (총기록)

=(수영 기록)+(자전거 기록)

　+(달리기 기록)

=44분 3초+1시간 8분 45초

　+1시간 10분 5초

=1시간 52분 48초+1시간 10분 5초

=3시간 2분 53초

ⓒ (도착 시각)=오전 8시+3시간 2분 53초

=오전 11시 2분 53초

29 $6 \times 4 = 24$이므로 일의 자리 숫자는 4,

$90 \times 2 = 180$이므로 십의 자리 숫자는 8,

$72 \times 9 = 648$이므로 백의 자리 숫자는 6입니다. ➡ 684

30 두 수의 차가 12이므로 두 수 중에서 작은 수를 □라 하면 큰 수는 □+12입니다. 두 수의 합이 30이므로 □+□+12=30, □+□=18, □=9입니다.
→ 두 수 중에서 작은 수는 9, 큰 수는 9+12=21이므로 두 수의 곱은 21×9=189입니다.

4회 단원 모의고사 37~40쪽

1 390 **2** $37 \times 3 = 111$
3 ㉠ **4** 68 **5** $\dfrac{5}{7}$, $\dfrac{2}{7}$
6 3.7 **7** > **8** $\dfrac{7}{8}$
9 6, 2, 62 **10** 70, 420
11 태우
12 ㉰ 코스, ㉮ 코스, ㉯ 코스
13 12분 52초
14 (3)(2)(1)
15 공작, 기린
16 모범답안 ❶ ㉠ 24씩 5번 뛰어 센 수는 24×5=120입니다.
㉡ 19를 7번 더한 수는 19×7=133입니다.
❷ 따라서 ㉠과 ㉡이 나타내는 수의 차는 133−120=13입니다. 답 13
17 6시간 11분 30초 **18** 71.3 cm
19 3, 4, 5 **20** ㉠
21 모범답안 ❶ 수 카드의 수를 비교하면 7>6>2이므로 가장 큰 소수는 7.6입니다.
❷ 따라서 두 번째로 큰 소수는 7.2이므로 세 번째로 큰 소수는 6.7입니다. 답 6.7
22 280 **23** 9시간 33분 30초
24 8시간 16분 **25** 57
26 22 cm 5 mm
27 지호 **28** 6 km 585 m
29 67 **30** 18.2 cm

풀이
2 $37+37+37=111$ → $37 \times 3 = 111$
3 ㉡ 초바늘이 2를 가리키므로 10초를 나타냅니다. → 9시 30분 10초
4 $34 \times 2 = 68$
5 전체를 똑같이 7로 나눈 것 중의 남은 부분은 5이고 먹은 부분은 2입니다.
→ 남은 부분은 전체의 $\dfrac{5}{7}$이고 먹은 부분은 전체의 $\dfrac{2}{7}$입니다.
6 3과 0.7만큼이므로 3.7입니다.
7 $45 \times 7 = 315$
→ 315>310이므로 45×7>310입니다.
8 튤립을 심은 부분은 정원 전체를 똑같이 8로 나눈 것 중의 7이므로 정원 전체의 $\dfrac{7}{8}$입니다.
9 물건의 길이는 1 cm가 6개인 길이보다 2 mm 더 긴 길이이므로 6 cm 2 mm입니다.
→ 6 cm 2 mm=60 mm+2 mm =62 mm
10 $14 \times 5 = 70$, $70 \times 6 = 420$
11 태우: 전체를 똑같이 9칸으로 나눈 것 중의 4칸에 색칠했으므로 $\dfrac{4}{9}$만큼 색칠한 것입니다.
12 2.3>1.8>1.5이므로 ㉰ 코스>㉮ 코스>㉯ 코스입니다.
13 5분 13초+7분 39초=12분 52초
14 3 km 54 m=3054 m
→ 3450 m>3054 m>3005 m
15 $16 \times 2 = 32$이므로 공작 수는 기린 수의 2배입니다.
16 채점 기준

❶ ㉠과 ㉡이 나타내는 수를 각각 구함.	2점	3점
❷ ㉠과 ㉡이 나타내는 수의 차를 구함.	1점	

17

$$
\begin{array}{r}
{\scriptstyle 1} \qquad {\scriptstyle 1} \\
3\text{시간} \quad 17\text{분} \quad 40\text{초} \\
+\ 2\text{시간} \quad 53\text{분} \quad 50\text{초} \\
\hline
6\text{시간} \quad 11\text{분} \quad 30\text{초}
\end{array}
$$

18 가장 긴 끈의 길이는 71 cm 3 mm입니다.

➡ 3 mm=0.3 cm이므로

　　71 cm 3 mm=71 cm+0.3 cm

　　　　　　　　=71.3 cm입니다.

19 자연수의 크기는 9로 모두 같으므로 소수
의 크기를 비교하면 $2<\square<6$입니다.
따라서 □ 안에 들어갈 수 있는 수는 3, 4,
5입니다.

20 ・1.3은 0.1이 13개이므로 ㉠=13입니다.

　・$\dfrac{1}{17}<\dfrac{1}{\text{㉡}}<\dfrac{1}{15}$에서 ㉡=16입니다.

　➡ $13<16$이므로 더 작은 수는 ㉠입니다.

21

채점 기준		
❶ 가장 큰 소수를 구함.	2점	
❷ 세 번째로 큰 소수를 구함.	2점	4점

22 어떤 수를 □라 하면 $\square\div8=7$,
$7\times8=\square$, $\square=56$입니다.
따라서 어떤 수에 5를 곱하면 $56\times5=280$
입니다.

23 하루는 24시간입니다.

➡ (낮의 길이)

　　=24시간−14시간 26분 30초

　　=9시간 33분 30초

24 오후 5시 33분은 17시 33분입니다.

➡ 17시 33분−9시 17분=8시간 16분

참고

・오후 ●시는 낮 12시에서 ●시간 더 지난 시
각이므로 (12+●)시로 고쳐서 계산합니다.
예 오후 5시 16분 → 17시 16분
　　　　└─+12─┘

25 $29\blacklozenge146=29\times7-146=203-146=57$

주의

$29\blacklozenge146$을 구할 때에는 ㉠ 자리에 29를, ㉡
자리에 146을 넣어 계산합니다.

26 삼각형의 세 변의 길이가 모두 같으므로 그
린 선분 1개의 길이는 75 mm입니다.
(선분 3개의 길이의 합)
$=75+75+75=225$ (mm)이고
225 mm=220 mm+5 mm
　　　　　=22 cm 5 mm입니다.

27 ・지호: 도형 1개에서 삼각형을 6개 찾을 수
있으므로 삼각형은 모두
$6\times15=15\times6=90$(개) 찾을 수
있습니다.

　・유진: 도형 1개에서 삼각형을 5개 찾을 수
있으므로 삼각형은 모두
$5\times17=17\times5=85$(개) 찾을 수
있습니다.

➡ $90>85$이므로 찾을 수 있는 삼각형 수가
더 많은 사람은 지호입니다.

28 1 km 450 m+1 km 450 m
+3 km 685 m
=2 km 900 m+3 km 685 m
=6 km 585 m

29

$$
\begin{array}{r}
\text{㉠㉡} \\
\times\quad 6 \\
\hline
4\ 0\ 2
\end{array}
$$

지워진 두 자리 수를 ㉠㉡이라
하면 ㉡×6의 일의 자리 숫자가
2이므로 ㉡은 2 또는 7입니다.

㉡=2일 때 $2\times6=12$이므로
㉠$\times6+1=40$, ㉠$\times6=39$에 맞는 ㉠이
없습니다.
㉡=7일 때 $7\times6=42$이므로
㉠$\times6+4=40$, ㉠$\times6=36$, ㉠=6입니다.
따라서 ㉠=6, ㉡=7이므로 얼룩으로 지워
진 두 자리 수는 67입니다.

30 모눈 한 칸의 길이는 $63\div9=7$ (mm)입니다.
빨간색 선의 길이의 합은 모눈 26칸의 길이
와 같으므로 $7\times26=26\times7=182$ (mm)
입니다.

➡ 182 mm=180 mm+2 mm

　　　　　=18 cm+0.2 cm

　　　　　=18.2 cm

1회 실전 모의고사
41~44쪽

1 5, 5 **2** 486
3 129명 **4** 도현
5 마 **6** 3개
7 3, 6 **8** 145초
9 27÷3=9, 9명 **10** 5개
11 ( )(○)
12 [모범 답안] ❶ 분자가 모두 1이므로 분모가 작을수록 큰 수입니다.

➡ $\frac{1}{3} > \frac{1}{4} > \frac{1}{5}$

❷ 따라서 케이크를 가장 많이 먹은 사람은 수진입니다. ❸ 수진
13 145개
14 (위에서부터) 6, 4
15 2시 42분 23초 **16** 8
17 10개 **18** 7
19 $\frac{7}{10}$ **20** 48 m
21 198 **22** 1554
23 [모범 답안] ❶ 어떤 수를 □라 하면
□÷8=4, 8×4=□, □=32입니다.
❷ 어떤 수는 32이므로 바르게 계산하면
32×3=96입니다. ❸ 96
24 $\frac{9}{12}$, $\frac{10}{12}$ **25** 20개
26 6개 **27** 7시 51분
28 6 cm **29** 21분
30 280

풀이

1 15÷3=5
3×5=15

2
```
    8 1
×     6
  4 8 6
```

3 (중국 선수의 수)−(대한민국 선수의 수)
=385−256=129(명)

4 도현: 10 mm=1 cm이므로
325 mm=32 cm 5 mm입니다.

5 도형의 각의 수를 세어 보면
가: 4개, 나: 3개, 다: 6개,
라: 5개, 마: 0개, 바: 4개입니다.
➡ 각이 없는 도형은 마입니다.

> [참고]
> 한 점에서 그은 두 반직선으로 이루어진 도형을 각이라고 하므로 직선과 곡선으로 이루어진 도형 마에는 각이 없습니다.

6 ➡ 도형 라에는 직각이 3개 있습니다.

7 18÷6=□ ➡ 6×3=18 ➡ □=3
36÷6=□ ➡ 6×6=36 ➡ □=6

8 1분=60초
➡ 2분 25초=60초+60초+25초
=145초

9 (곶감을 나누어 줄 수 있는 사람 수)
=(전체 곶감 수)÷(한 명에게 주는 곶감 수)
=27÷3=9(명)

10 색종이를 점선을 따라 모두 자르면 한 각이 직각인 삼각형이 5개 생깁니다.

11 왼쪽 그림은 $\frac{1}{4}$이 주어졌으므로 $\frac{3}{4}$만큼 더 그려 주어야 합니다.

12
채점 기준		
❶ 세 분수의 크기를 비교함.	2점	3점
❷ 케이크를 가장 많이 먹은 사람을 구함.	1점	

13 떡살로 한 번 찍어 낼 때마다 떡이 5개씩 만들어집니다.

➡ 떡살로 29번 찍어 내면 떡은 모두
  $5 \times 29 = 29 \times 5 = 145$(개) 만들어집니다.

14 • 십의 자리 계산: $3 - 1 + 10 - \square = 8$,
  $\square = 4$

• 백의 자리 계산: $\square - 1 - 4 = 1$, $\square = 6$

15 (장난감 조립을 끝낸 시각)
  $=$ (장난감 조립을 시작한 시각)
  $+ 1$시간 27분 45초
  $= 1$시 14분 38초 $+ 1$시간 27분 45초
  $= 2$시 41분 83초 $= 2$시 42분 23초

16 $\boxed{7}2 \times 4 = 288 < 300(\times)$
  $\boxed{8}2 \times 4 = 328 > 300(\bigcirc)$
  $\boxed{9}2 \times 4 = 368 > 300(\bigcirc)$

➡ $\square$ 안에 들어갈 수 있는 수 중에서 가장 작은 수는 8입니다.

17

➡ 작은 직사각형이 9개 있고 전체 모양도 직사각형이므로 직사각형은 모두 $9 + 1 = 10$(개)입니다.

18 $32 \div 4 = 8$

➡ $56 \div \square = 8$이므로 $8 \times 7 = 56$에서 $\square = 7$입니다.

19 남은 우유는 전체를 똑같이 10으로 나눈 것 중의 $10 - 3 = 7$이므로 전체의 $\dfrac{7}{10}$입니다.

20 (부산 국제 금융 센터의 높이)
  $+$ (상하이 세계 금융 센터의 높이)
  $= 289 + 492 = 781$ (m)

➡ $829 - 781 = 48$ (m)

21 $145 + 838 = 785 + \square$, $983 = 785 + \square$,
  $983 - 785 = \square$, $\square = 198$

22 $9 > 8 > 7 > 6 > 5$이므로 가장 큰 수는 987이고 가장 작은 수는 567입니다.

➡ $987 + 567 = 1554$

참고

• 가장 큰 수를 만들 때는 큰 수부터 백, 십, 일의 자리에 차례로 놓습니다.
• 가장 작은 수를 만들 때는 작은 수부터 백, 십, 일의 자리에 차례로 놓습니다.

23

채점 기준		
❶ 어떤 수를 구함.	2점	4점
❷ 바르게 계산한 값을 구함.	2점	

24 분모가 12인 분수이므로 $\dfrac{\square}{12}$라 하면
  $\dfrac{8}{12} < \dfrac{\square}{12} < \dfrac{11}{12}$입니다. $8 < \square < 11$이므로
  $\square$ 안에 알맞은 수는 9, 10입니다.
  따라서 조건에 알맞은 분수는 $\dfrac{9}{12}$, $\dfrac{10}{12}$입니다.

25 $20 \div 4 = 5$이므로 기둥은 한 변에
  $5 + 1 = 6$(개)씩 필요합니다.
  따라서 네 변에는 기둥이 $6 \times 4 = 24$(개) 필요하고 네 꼭짓점에서 기둥이 한 개씩 겹쳐지므로 기둥은 모두 $24 - 4 = 20$(개) 필요합니다.

참고

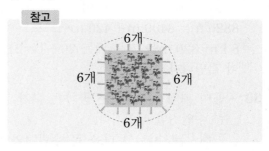

26 ㉠ 3과 $\dfrac{1}{10}$만큼인 수는 3과 0.1만큼인 수이므로 3.1입니다.

➡ $3.1 < 3.\square < 3.8$에서 $\square$ 안에 들어갈 수 있는 수는 2, 3, 4, 5, 6, 7로 모두 6개입니다.

27 미술관까지 가는 데 준호가 수아보다
$48-14=34$(분) 더 걸리므로 수아보다 34분
먼저 출발해야 합니다.
따라서 수아가 8시 25분에 출발하므로 준
호는 늦어도 8시 25분$-$34분$=$7시 51분
에 집에서 출발해야 합니다.

> **다른 풀이**
>
> 수아가 미술관에 도착하는 시각은
> 8시 25분$+$14분$=$8시 39분입니다.
> 준호가 미술관에 8시 39분에 도착하려면 늦어도
> 8시 39분$-$48분$=$7시 51분에 집에서 출발해야
> 합니다.

28 (정사각형의 네 변의 길이의 합)
$=12+12+12+12=48$ (cm)
만들려고 하는 직사각형의 세로의 길이를
□ cm라 하면 $18+□+18+□=48$,
$□+□=12$, $□=6$입니다.
따라서 세로의 길이를 6 cm로 해야 합니다.

> **참고**
>
> • 정사각형은 네 변의 길이가 모두 같습니다.
> • 직사각형은 마주 보는 두 변의 길이가 같습니다.

29 1분에 420 m를 가므로 10분에는
4200 m, 20분에는 8400 m를 갑니다.
8 km 820 m$=8820$ m이고
8820 m$=8400$ m$+420$ m이므로
8 km 820 m를 가는 데는 $20+1=21$(분)
이 걸립니다.

30 • 곱이 가장 큰 경우는 곱하는 수가 가장
큰 수인 8일 때입니다.
곱해지는 수는 그 다음 큰 수인 4와 1을
차례로 씁니다. ➡ $41×8=328$
• 곱이 가장 작은 경우는 곱하는 수가 가장
작은 수인 1일 때입니다.
곱해지는 수는 그 다음 작은 수인 4와 8
을 차례로 씁니다. ➡ $48×1=48$
따라서 두 곱의 차는 $328-48=280$입니다.

2회 실전 모의고사 45~48쪽

1 선화
2 ㉠
3 $\frac{4}{6}$, $\frac{2}{6}$
4 (선 연결)
5 $<$
6 1.4
7 180명
8 $35÷5=7$, 7개
9 190 cm
10 ㉠
11 3시
12 8.6, 7.2 / 8.6 cm
13 민서
14 ㉡, ㉠, ㉢
15 289명
16 5 cm
17 0, 1, 2, 3, 4, 5
18 8, 31, 40
19 모범 답안 ❶ 41개씩 8상자에 담은 야구공은 $41×8=328$(개)입니다.
❷ 따라서 야구공은 모두 $328+23=351$(개)입니다. ❸ 351개
20 $\frac{1}{10}$
21 32
22 3시간 10분
23 광주, 11 cm 5 mm
24 3배
25 312
26 216개
27 3
28 모범 답안 ❶ (한 봉지에 담은 포도 맛 사탕 수)$=49÷7=7$(개)
(한 봉지에 담은 딸기 맛 사탕 수)$=45÷5=9$(개)
❷ 한 봉지에 담은 사탕은 딸기 맛 사탕이 $9-7=2$(개) 더 많습니다. ❸ 딸기 맛 사탕, 2개
29 78
30 ㉯ 도시, 54분 20초

풀이

1 직각삼각형은 한 각이 직각인 삼각형입니다.
2 ㉠ 100, ㉡ 10 ➡ $100>10$

㉠ 실제로 100을 나타냅니다. ← → 실제로 10을 나타냅니다.

$$\begin{array}{r} {}^{①}\,{}^{①}\quad\;\\ 4\;3\;6\\ +\,5\;8\;5\\ \hline 1\;0\;2\;1 \end{array}$$

㉡ 실제로 600을 나타냅니다. ← → 실제로 110을 나타냅니다. → 실제로 10을 나타냅니다.

$$\begin{array}{r} {}^{⑥}\,{}^{①}\,{}^{①}\\ 7\;2\;1\\ -\,3\;7\;4\\ \hline 3\;4\;7 \end{array}$$

3 전체를 똑같이 6으로 나눈 것 중의 남은 부분은 4이고 먹은 부분은 2입니다.

➡ 남은 부분은 전체의 $\frac{4}{6}$이고 먹은 부분은 전체의 $\frac{2}{6}$입니다.

4 ・9 km 450 m＝9000 m＋450 m
＝9450 m

・9 km 45 m＝9000 m＋45 m
＝9045 m

・9 km 540 m＝9000 m＋540 m
＝9540 m

1 km＝1000 m입니다.

5 396＋427＝823 ➡ 823＜830

6 먹고 남은 피자는 1과 $\frac{4}{10}$입니다.

$\frac{4}{10}$＝0.4이므로 1과 0.4만큼인 수는 1.4 입니다.

7 60명씩 3회 진행했으므로 참가한 사람은 모두 60×3＝180(명)입니다.

8 (필요한 꽃병 수)
＝(장미 수)÷(꽃병 한 개에 꽂는 장미 수)
＝35÷5＝7(개)

9 6 m＝600 cm
➡ (남은 색 테이프의 길이)
＝600－410＝190 (cm)

10 ㉠ ㉡

직각의 수를 알아보면 ㉠ 8개, ㉡ 7개입니다.
➡ 8＞7이므로 직각이 더 많은 도형은 ㉠ 입니다.

11 시계의 긴바늘이 12를 가리키고 긴바늘과 짧은바늘이 이루는 작은 쪽의 각이 직각인 시각은 3시와 9시입니다. 그중 7시에 저녁을 먹기 전의 시각은 3시입니다.

12 86 mm＝80 mm＋6 mm
＝8 cm＋0.6 cm＝8.6 cm
72 mm＝70 mm＋2 mm
＝7 cm＋0.2 cm＝7.2 cm
➡ 8.6＞7.2이므로 더 긴 나비의 길이는 8.6 cm입니다.

13 민서: 56÷7＝8이므로 지우개 56개를 7명이 똑같이 나누어 가질 수 있습니다.

・도현: 색종이 42장을 8명이 5장씩 가지면 8×5＝40(장)이므로 2장이 남습니다.
・유진: 색연필 21자루를 5명이 4자루씩 가지면 5×4＝20(자루)이므로 1자루가 남습니다.

14 ㉢ $\frac{6}{10}$＝0.6

➡ 1＞0.9＞0.6이므로 ㉡＞㉠＞㉢입니다.

소수를 분수로 고쳐서 크기를 비교할 수도 있습니다.

㉠ 0.9＝$\frac{9}{10}$ ➡ 1＞$\frac{9}{10}$＞$\frac{6}{10}$

15 들어온 사람 수를 더하면
429＋138＝567(명)입니다.
나간 사람 수를 빼면 지금 놀이공원에 있는 사람 수는 567－278＝289(명)입니다.

429＋138－278＝567－278＝289(명)

16 (선분 ㅊㄷ)=(선분 ㄱㅊ)=7 cm
(선분 ㅈㅁ)=(선분 ㅊㄷ)+(선분 ㄷㄹ)
　　　　=7+4=11 (cm)
(선분 ㅁㅂ)=(선분 ㅇㅅ)-(선분 ㅈㅁ)
　　　　=16-11=5 (cm)

17 $32×3=96$이고 $16×6=96$이므로 □ 안에 들어갈 수는 6보다 작아야 합니다.
➡ □ 안에 들어갈 수 있는 수는 0, 1, 2, 3, 4, 5입니다.

18 200초=180초+20초=3분 20초
➡ 8시 35분-3분 20초
　　=8시 31분 40초

19

채점 기준		
❶ 41개씩 8상자에 담은 야구공 수를 구함.	2점	4점
❷ 전체 야구공 수를 구함.	2점	

20 ★은 분자가 1인 분수이므로 $\dfrac{1}{□}$이라 하면
$$\dfrac{1}{11}<\dfrac{1}{□}<\dfrac{1}{9}$$입니다.
➡ $9<□<11$이므로 □=10이고
★$=\dfrac{1}{10}$입니다.

21 ・▲×2=16 ➡ 16÷2=▲, ▲=8
・■÷4=8 ➡ 4×8=■, ■=32

22 하루에 운동을 하는 시간은
6시 5분-4시 30분=1시간 35분입니다.
➡ (이틀 동안 운동을 한 시간)
　　=1시간 35분+1시간 35분
　　=3시간 10분

23 예상 강우량이 110 mm와 같거나 많은 곳은 광주입니다.
광주: 115 mm=110 mm+5 mm
　　　　　=11 cm 5 mm

24 직사각형의 네 변의 길이의 합은
㉠+3+㉠+3=24, ㉠+㉠+6=24,
㉠+㉠=18, ㉠=9입니다.
따라서 ㉠의 길이는 9 cm이므로 3 cm의
9÷3=3(배)입니다.

25 $351+237=588$
찢어진 종이에 적힌 세 자리 수를 □라 하면
$588+□=900$, $900-588=□$, □=312 이므로 찢어진 종이에 적힌 세 자리 수는 312입니다.

26 (기계 3대로 1시간 동안 만들 수 있는 인형 수)
=24×3=72(개)
(기계 3대로 3시간 동안 만들 수 있는 인형 수)
=72×3=216(개)

27 어떤 수를 □라 하면
□÷4=6, 4×6=□, □=24입니다.
따라서 바르게 계산하면 24÷8=3이므로 몫은 3입니다.

28

채점 기준		
❶ 한 봉지에 담은 포도 맛 사탕과 딸기 맛 사탕 수를 각각 구함.	3점	4점
❷ 한 봉지에 담은 사탕은 어느 사탕이 몇 개 더 많은지 구함.	1점	

29 0부터 9까지의 수 중에서 합이 12이고 차가 6인 두 수는 3, 9입니다.
39 또는 93 중에서 50보다 작은 수는 39이므로 ㉮는 39입니다.
➡ ㉮×2=39×2=78

> **참고**
> 합이 12이고 차가 6인 두 수를 구할 때 작은 수를 □라고 하면 큰 수는 □+6입니다.
> □+□+6=12이므로 □+□=6, □=3입니다. ➡ 작은 수: 3, 큰 수: 3+6=9

30 (㉮ 도시의 낮의 길이)
=19시 11분 50초-5시 28분 20초
=13시간 43분 30초
(㉯ 도시의 낮의 길이)
=19시 47분 30초-5시 9분 40초
=14시간 37분 50초
➡ 13시간 43분 30초<14시간 37분 50초 이므로 ㉯ 도시의 낮의 길이가
14시간 37분 50초-13시간 43분 30초
=54분 20초 더 깁니다.

1 (   ) (×) (   )

2 1014   **3** ㉠

4 6, 3   **5** 직각삼각형, 6개

6 (2) (1) (3)

7 경선, 예 교실 문의 높이는 약 2 m야.

8 >   **9** 855명

10 ㉠   **11** 10개

12 9   **13** 9

14 ㉢, ㉠, ㉡   **15** 5개

16 1시간 32분   **17** 테니스공

18 7개   **19** 18

20 675   **21** 16분 29초

22 162 cm   **23** 4

24 126쪽

25 모범 답안 ❶ $63+63=126$이므로 다람쥐 한 마리가 일주일 동안 먹은 도토리는 63개입니다.

❷ (다람쥐 한 마리가 하루에 먹은 도토리 수)$=63÷7=9$(개)   답 9개

26 144자루

27

	㉠4	㉡4		
		㉢6	5	㉣1
㉤9	㉥5			1
		0		4

28 ❶ (산에 올라갈 때 걸린 시간)
$=$2시간 17분 11초$+$1시간 9분 40초
$=$3시간 26분 51초
❷ (산에 올라갔다 내려오는 데 걸린 시간)
$=$3시간 26분 51초$+$2시간 17분 11초
$=$5시간 43분 62초
$=$5시간 44분 2초   답 5시간 44분 2초

29 8.2 cm   **30** 836, 297

풀이

1 한 점에서 시작하여 한쪽으로 끝없이 늘인 곧은 선을 반직선이라고 합니다.

2
```
    1 1
    5 3 6
  + 4 7 8
  ─────────
  1 0 1 4
```

3 주어진 도형은 네 각이 모두 직각이지만 네 변의 길이가 모두 같지 않으므로 정사각형이 아닙니다.

참고
정사각형은 다음 두 조건을 모두 만족해야 합니다.
① 네 각이 모두 직각입니다.
② 네 변의 길이가 모두 같아야 합니다.

4 접시 2개에 놓을 때: $12÷2=6$(개)
접시 4개에 놓을 때: $12÷4=3$(개)

5

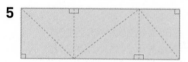

점선을 따라 모두 자르면 직각삼각형이 6개 만들어집니다.

6 $7.7 < 8.1 < 8.6$ (1<6, 7<8)

참고
자연수 부분의 크기를 먼저 비교하고, 자연수의 크기가 같으면 소수 부분의 크기를 비교합니다.

7 평가 기준
단위를 잘못 사용한 친구의 이름을 쓰고 이야기를 바르게 고쳤으면 정답입니다.

8
```
    7 9 5
  - 3 3 4
  ─────────
    4 6 1
```
➡ $461 > 460$

9 (여자 수)$+$(남자 수)
$=457+398=855$(명)

10 ⓒ 2<10이므로 $\frac{1}{2}>\frac{1}{10}$ 입니다.

ⓒ 4>1이므로 $\frac{4}{7}>\frac{1}{7}$ 입니다.

11

4개　　　0개　　　6개

➡ 4+0+6=10(개)

12 가장 큰 수: 72, 가장 작은 수: 8

➡ 72÷8=9

13 80×3=240이므로 □와 3의 곱은
267−240=27입니다.
따라서 □×3=27이므로 □=9입니다.

14 ⓒ 4분 50초=240초+50초=290초

➡ 327초>320초>290초이므로 시간의
길이가 긴 것부터 차례로 기호를 쓰면
ⓒ, ㉠, ⓒ입니다.

> **다른 풀이**
> ㉠ 320초=300초+20초=5분 20초
> ⓒ 327초=300초+27초=5분 27초
> ➡ 5분 27초>5분 20초>4분 50초

15 달걀말이를 모두 2+4=6(명)이 먹는 것입
니다.

➡ (한 명이 먹는 달걀 수)
　 =30÷6=5(개)

> **주의**
> 나누어 먹는 사람 수를 4명이라고 생각하여
> 30÷4로 식을 세우지 않도록 합니다.

16 (광명에서 대구까지 가는 데 걸린 시간)
　=(대구에 도착한 시각)−(광명에서 출발
　 한 시각)
　=16시 57분−15시 25분
　=1시간 32분

17 무게를 비교하면 57.2 g>45.5 g>2.7 g
입니다.
상자에 가장 먼저 넣어야 할 공은 테니스
공입니다.

18

• 삼각형 1개로 이루어진 직각삼각형:
　①, ②, ③, ④ → 4개
• 삼각형 2개로 이루어진 직각삼각형:
　①+④, ②+③ → 2개
• 삼각형 4개로 이루어진 직각삼각형:
　①+②+③+④ → 1개

➡ 4+2+1=7(개)

19 • 1.9는 0.1이 19개이므로 $\frac{1}{10}$ 이 19개입
니다. ➡ ㉠=19
• 3.7은 0.1이 37개입니다. ➡ ⓒ=37
따라서 ⓒ−㉠=37−19=18입니다.

20 어떤 수를 □라 하면
□−148−367=160입니다.
□−148=527, □=675
따라서 어떤 수는 675입니다.

21 8분 30초+4분 16초+3분 43초
　=12분 46초+3분 43초
　=16분 29초

22 길이가 18 cm인 나무젓가락이 모두 9개이
므로 사용한 나무젓가락의 길이는 모두
18×9=162 (cm)입니다.

23 • 48÷■=6, ■×6=48, ■=8
　• ■÷2=㉠, 8÷2=㉠, ㉠=4

24 소현이가 99쪽을 읽은 날수를 □일이라 하면
11×□=99, □=9입니다.

➡ (지웅이가 9일 동안 읽은 위인전의 쪽수)
　=14×9=126(쪽)

25

채점 기준		
❶ 다람쥐 한 마리가 일주일 동안 먹은 도토리 수를 구함.	2점	4점
❷ 다람쥐 한 마리가 하루에 먹은 도토리 수를 구함.	2점	

26 (한 상자에 들어 있는 연필 수)
$=12 \times 4 = 48$(자루)
(3상자에 들어 있는 연필 수)
$=48 \times 3 = 144$(자루)

27 ㉠ $11 \times 4 = 44$ ㉡ $23 \times 2 = 46$
㉢ $93 \times 7 = 651$ ㉣ $38 \times 3 = 114$
㉤ $19 \times 5 = 95$ ㉥ $25 \times 2 = 50$

28

채점 기준		
❶ 산에 올라갈 때 걸린 시간을 구함.	2점	4점
❷ 산에 올라갔다 내려오는 데 걸린 시간을 구함.	2점	

29 (정사각형의 네 변의 길이의 합)
$=125+125+125+125 = 500$ (mm)
(직사각형의 가로의 길이의 합)
$=168+168 = 336$ (mm)
(직사각형의 세로의 길이의 합)
$=500-336 = 164$ (mm)
➡ $82+82 = 164$이므로 직사각형의 세로의
길이는 82 mm이고
$82 \text{ mm} = 80 \text{ mm} + 2 \text{ mm}$
$= 8 \text{ cm} + 0.2 \text{ cm}$
$= 8.2 \text{ cm}$입니다.

30
$$\begin{array}{r} ㉠㉡6 \\ +㉢9㉣ \\ \hline 113\square \end{array} \qquad \begin{array}{r} ㉠㉡6 \\ -㉢9㉣ \\ \hline 5\square9 \end{array}$$

뺄셈식에서 $10+6-㉣=9$이므로 $㉣=7$
입니다.
덧셈식에서 $1+㉡+9=13$이므로 $㉡=3$
입니다.
덧셈식에서 $1+㉠+㉢=11$이므로
$㉠+㉢=10$입니다.
뺄셈식에서 $㉠-1-㉢=5$이므로
$㉠-㉢=6$입니다.
합이 10이고 차가 6인 두 수는 8과 2이므로
$㉠=8$, $㉢=2$입니다.
따라서 두 수는 836, 297입니다.

4회 **실전 모의고사** 53~56쪽

1 8 　　**2** 각 ㄱㄴㄷ 또는 각 ㄷㄴㄱ
3 (1) 2.5(또는 $\frac{25}{10}$) (2) 3 　　**4** 3개
5 $\frac{4}{7}$ 　　**6** <
7 ㉡ 　　**8**
9 (모범 답안) ❶ (문제집의 전체 쪽수)÷(하루에
푸는 쪽수)=(걸리는 날수)
❷ 따라서 $56 \div 8 = 7$(일)이므로 문제집을
모두 푸는 데 7일이 걸립니다. 🔑 7일
10 80개 　　**11** ㉡
12 258 　　**13** 2시간 45분
14 7 km 387 m, 2 km 113 m
15 4개 　　**16** ④
17 감, 55 　　**18** 10개
19 527 　　**20** (예)
21 36개 　　**22** 21명
23 (모범 답안) ❶ 460보다 크고 500보다 작
은 세 자리 수는 46□, 47□, 48□, 49□
이고 그중 일의 자리 숫자가 십의 자리
숫자보다 1 큰 수는 467, 478, 489입
니다.
❷ $467+478+489 = 945+489 = 1434$
🔑 1434
24 18개 　　**25** 76×9, 684
26 11, 12 　　**27** $35 \times 4 = 140$
28 3시 55분 30초 **29** 2분 56초
30 0.4

풀이

1 4의 단 곱셈구구를 이용하여 나눗셈의 몫
을 구합니다.
$4 \times \boxed{8} = 32$ ➡ $32 \div 4 = \boxed{8}$

2 각의 꼭짓점이 가운데에 오도록 읽습니다.
직각인 각은 각 ㄱㄴㄷ 또는 각 ㄷㄴㄱ입니다.

3 (1) 0.1이 25개이면 2.5입니다.
(2) $\frac{1}{10}$이 3개이면 0.3입니다.

> **참고**
> • 0.1이 ■.▲개이면 ■.▲입니다.
> • $\frac{1}{■}$이 ▲개이면 $\frac{▲}{■}$입니다.

4 네 각이 모두 직각인 사각형을 찾습니다.

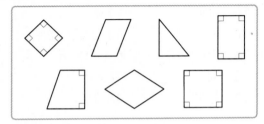

➡ 3개

5 $\dfrac{(펼쳐진\ 부분의\ 수)}{(전체를\ 똑같이\ 나눈\ 수)} = \dfrac{4}{7}$

6
```
   7 9 10
   8 0 5
 - 2 5 7
 ─────────
   5 4 8
```
➡ 548 < 587

7 ㉠ 38×4＝152
㉡ 38＋38＋38 → 38×3＝114
㉢ 38씩 4묶음 → 38×4＝152

8
```
          1
   8시 25분 45초
 +     3분 30초
 ──────────────
   8시 29분 15초
```

9
<table>

채점 기준		
❶ 나눗셈의 식을 바르게 씀.	1점	
❷ 문제집을 모두 푸는 데 걸리는 날수를 구함.	2점	3점

</table>

10 요구르트는 한 묶음에 5×4＝20(개)입니다.
➡ 유진이가 4묶음 샀으므로 모두 20×4＝80(개)를 샀습니다.

11 ㉠
```
     2
     6 7
   ×   4
   ─────
   2 6 8
```
㉡
```
     8 2
   ×   3
   ─────
   2 4 6
```
➡ 268＞246이므로 계산 결과가 더 작은 것은 ㉡입니다.

12 □＝732－474＝258

13 11시 10분－8시 25분＝2시간 45분

14 4750 m＝4 km 750 m
• 합: 4 km 750 m＋2 km 637 m
＝7 km 387 m
• 차: 4 km 750 m－2 km 637 m
＝2 km 113 m

15 단위분수이므로 분모를 비교하면
7＜□＜12입니다.
➡ □ 안에 들어갈 수 있는 자연수는 8, 9, 10, 11이므로 모두 4개입니다.

> **참고**
> 단위분수는 분모가 작을수록 더 큰 수입니다.

16 ① 81÷□＝9 ➡ 9×□＝81, □＝9
② 45÷5＝□ ➡ □＝9
③ 36÷□＝4 ➡ 4×□＝36, □＝9
④ 32÷□＝4 ➡ 4×□＝32, □＝8
⑤ 27÷3＝□ ➡ □＝9

17 배가 247－192＝55 (g) 더 무겁습니다.
➡ 감이 있는 접시에 55 g짜리 추를 올리면 양팔저울이 수평이 됩니다.

18 두 점을 지나는 직선은 다음과 같이 모두 10개 그을 수 있습니다.

19 어떤 수를 □라 하면 □＋394＝921입니다.

➡ 921－394＝□, □＝527이므로 어떤 수는 527입니다.

20 한 각이 직각인 삼각형이 되도록 여러 가지 방법으로 선을 긋습니다.

21 가로로 24÷4＝6(개),

세로로 24÷4＝6(개) 만들 수 있습니다.

➡ 한 변이 4 cm인 정사각형 모양을 모두 6×6＝36(개) 만들 수 있습니다.

22 (한 모둠의 학생 수)＝28÷4＝7(명)

➡ 뮤지컬은 3모둠의 학생이 연습하므로 모두 7×3＝21(명)입니다.

23 460보다 크고 500보다 작은 세 자리 수의 백의 자리 숫자는 4이고 십의 자리 숫자는 6, 7, 8, 9가 될 수 있습니다.

채점 기준		
❶ 조건을 만족하는 수를 구함.	3점	4점
❷ ❶에서 구한 수의 합을 구함.	1점	

24 • 작은 사각형 1개짜리: 6개

• 작은 사각형 2개짜리: 7개

• 작은 사각형 3개짜리: 2개

• 작은 사각형 4개짜리: 2개

• 작은 사각형 6개짜리: 1개

➡ 6＋7＋2＋2＋1＝18(개)

25

㉠	㉡
×	㉢

곱이 가장 크게 되려면 ㉢에 가장 큰 수인 9를, ㉠에 두 번째로 큰 수인 7을, ㉡에 세 번째로 큰 수인 6을 써넣어야 합니다.

➡ 76×9＝684

26 • ㉠에 들어갈 수 있는 자연수: 11, 12, 13

• ㉡에 들어갈 수 있는 자연수: 9, 10, 11, 12

따라서 ㉠과 ㉡에 공통으로 들어갈 수 있는 자연수는 11, 12입니다.

27

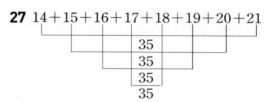

＝35×4＝140

28 한 시간에 1분 30초씩 늦어지므로 3시간 후에는

1분 30초＋1분 30초＋1분 30초

＝3분＋90초＝4분 30초가 늦어집니다.

오후 1시에서 3시간 후의 시각은 오후 4시이고 4분 30초가 늦어지므로

4시－4분 30초＝3시 55분 30초를 가리키게 됩니다.

> **참고**
>
> 늦어지는 시계는 시간의 뺄셈을 이용하고, 빨라지는 시계는 시간의 덧셈을 이용하여 계산합니다.

29 작은 정사각형의 네 변을 지나는 데 32초 걸리므로 한 변을 지나는 데 걸리는 시간은 32÷4＝8(초)입니다.

분홍색 선의 길이는 작은 정사각형 한 변의 길이의 22배이므로 분홍색 선을 모두 지나는 데 걸리는 시간은 8×22＝176(초)입니다.

➡ 176초＝60초＋60초＋56초

＝2분＋56초＝2분 56초

> **참고**
>
> 60초＝1분

30 0.1과 0.9 사이의 수: 0.2, 0.3, 0.4, 0.5, 0.6, 0.7, 0.8

$\frac{3}{10}$＝0.3이므로 0.3보다 크고 0.5보다 작은 수는 0.4입니다.

따라서 주어진 조건에 알맞은 수는 0.4입니다.

1회 심화 모의고사   57~60쪽

1 5.7, 오 점 칠   **2** 280

3 (위에서부터) 3, 5   **4** 4 cm 6 mm

5 ㉡   **6** 48÷6=8, 8명

7 0.7   **8** 8개

9 180 cm   **10** ㉠

11 >

12 (모범 답안) ❶ 작은 사각형 1개짜리: 6개, 작은 사각형 2개짜리: 5개, 작은 사각형 3개짜리: 2개
❷ 따라서 그림에서 찾을 수 있는 크고 작은 직사각형은 모두 6+5+2=13(개)입니다.   **답** 13개

13 ④   **14** 5개

15 (위에서부터) 3, 8   **16** 75 m

17 380

18 (모범 답안) ❶ 의자 56개를 7명이 똑같이 나누어 옮기면 한 명이 56÷7=8(개)씩 옮겨야 합니다.
❷ 따라서 한 명이 한 번에 2개씩 옮기므로 한 명이 8÷2=4(번)씩 옮기면 됩니다.   **답** 4번

19 $\frac{9}{10}$ **20** 40 cm

21 329, 187   **22** 16바퀴

23 11시간 6분 15초

24 도현   **25** 12시 35분

26 16 cm 2 mm   **27** 35

28 93명   **29** 8시 50분

30 (예) $\frac{2}{4}$

풀이

1 5와 0.7만큼인 수는 5.7이고 오 점 칠이라고 읽습니다.

2 70×4=280

3 ・24÷□=8 ➡ 8×□=24, □=3
・25÷5=□, □=5

4 ㉠=11 cm 4 mm−6 cm 8 mm
    =4 cm 6 mm

5 ㉠ 17×5=85
  ㉡ 13×8=104
  ➡ 85<104

6 (전체 학생 수)÷(모둠 수)
=(한 모둠의 학생 수)
➡ 48÷6=8(명)

7 넘어지지 않은 승객은 전체의 $\frac{7}{10}$입니다.
따라서 $\frac{7}{10}$을 소수로 나타내면 0.7입니다.

8 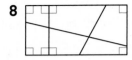 ➡ 직각은 모두 8개입니다.

9 정사각형이므로 네 변의 길이가 모두 같습니다.
➡ 45×4=180 (cm)

10 ㉠ 63÷□=9
  ➡ □×9=63, □=7
  ㉡ 6×□=48
  ➡ 48÷6=□, □=8
➡ 7<8이므로 ㉠이 더 작은 수입니다.

11 $\frac{1}{10}$이 80개인 수는 $\frac{80}{10}$=8입니다.
➡ 8.4>8

12

채점 기준		
❶ 작은 사각형 1개, 2개, 3개로 된 직사각형의 개수를 각각 구함.	2점	3점
❷ 크고 작은 직사각형의 개수를 구함.	1점	

13 ① ② ③
④ ⑤

시계의 긴바늘과 짧은바늘이 이루는 작은 쪽의 각이 직각인 시각은 ④ 3시입니다.

14 • right triangle(직각삼각형): 직각 1개
  • rectangle(직사각형): 직각 4개
  ➡ $1+4=5$(개)

15

$$\begin{array}{r} \boxed{\text{ⓒ}}\ 7 \\ \times\quad \boxed{\text{⊙}} \\ \hline 2\ 9\ 6 \end{array}$$

  • $7\times\text{⊙}$에서 일의 자리 숫자가 6인 경우는
   ⊙$=8$입니다.
  • $7\times8=56$이므로 ⓒ$\times8+5=29$,
   ⓒ$\times8=24$, ⓒ$=3$입니다.

16 페트로나스 타워 1과 2의 높이의 합은
  $452+452=904$ (m)입니다.
  부르즈 할리파의 높이는 829 m입니다.
  ➡ $904-829=75$ (m)

17 어떤 수를 □라 하면
  $\square+521=901$, $901-521=\square$,
  $\square=380$입니다.
  따라서 어떤 수는 380입니다.

18

채점 기준		
❶ 한 명이 옮겨야 하는 의자 수를 구함.	2점	
❷ 한 명이 의자를 2개씩 몇 번 옮겨야 하는지 구함.	2점	4점

19 남은 치즈 케이크는 전체를 똑같이 10조각
  으로 나눈 것 중의 9조각입니다.
  따라서 남은 치즈 케이크는 전체의 $\dfrac{9}{10}$입
  니다.

20

9 cm
11 cm

  도형에서 연두색 선의 길이는 가로가 11 cm,
  세로가 9 cm인 직사각형의 네 변의 길이의
  합과 같습니다.
  (연두색 선의 길이)
  $=11+9+11+9=40$ (cm)

21

$$\begin{array}{r} \blacksquare\ \blacktriangle\ 9 \\ +\ 1\ 8\ \bullet \\ \hline 5\ 1\ 6 \end{array}$$

  • $9+\bullet=16$, $16-9=\bullet$, $\bullet=7$
  • $1+\blacktriangle+8=11$, $11-9=\blacktriangle$, $\blacktriangle=2$
  • $1+\blacksquare+1=5$, $5-2=\blacksquare$, $\blacksquare=3$
  ➡ 두 수는 329, 187입니다.

22 오른쪽 시계가 나타내는 시각은
  10시 35분 20초이므로
  10시 35분 20초$-$10시 19분 20초$=$16분
  빠릅니다.
  초바늘이 시계 한 바퀴를 도는 데 걸리는
  시간이 1분이므로 초바늘을 16바퀴 뒤로
  돌려야 합니다.

23 밤의 길이는 하루인 24시간에서 1시간 47
  분 30초를 뺀 시간의 반입니다.

$$\begin{array}{r} \overset{23}{2}\overset{59}{4}\text{시간}\quad\overset{60}{} \\ -\quad 1\text{시간}\quad 47\text{분}\quad 30\text{초} \\ \hline 22\text{시간}\quad 12\text{분}\quad 30\text{초} \end{array}$$

  11시간 6분 15초$+$11시간 6분 15초
  $=$22시간 12분 30초이므로 이날의 밤의
  길이는 11시간 6분 15초입니다.

  > **참고**
  > (낮의 길이)$+$(밤의 길이)$=$24시간
  > ➡ (밤의 길이)$=$24시간$-$(낮의 길이)

24 • 도현이가 곱이 가장 큰 곱셈식을 만든
   경우: $54\times7=378$
  • 민서가 곱이 가장 큰 곱셈식을 만든
   경우: $21\times9=189$
  ➡ $378>189$이므로 도현이가 만든 곱셈식
   의 곱이 더 큽니다.

25 하루에 5분씩 빨라지므로 일주일 뒤에는
  $5\times7=35$(분)이 빨라집니다.
  따라서 일주일 뒤 낮 12시에 이 시계가 가
  리키는 시각은 12시$+$35분$=$12시 35분입
  니다.

26 점선을 따라 잘라낸 후 펼친 모양은 다음과 같습니다.

5 cm 4 mm   5 cm 4 mm

2 cm 7 mm   2 cm 7 mm

(삼각형의 세 변의 길이의 합)
$$=5\,cm\,4\,mm+5\,cm\,4\,mm$$
$$\quad+2\,cm\,7\,mm+2\,cm\,7\,mm$$
$$=16\,cm\,2\,mm$$

27 만들 수 있는 두 자리 수는 30, 34, 35, 40, 43, 45, 50, 53, 54입니다.
이 중에서 $35\div7=5$이므로 ⊙에 들어갈 수 있는 수는 35입니다.

> **주의**
> 숫자 0은 십의 자리에 놓을 수 없습니다.

28 (3학년 학생 수)+(1학년 학생 수)
$=$(4학년 학생 수)+(6학년 학생 수)이므로
1학년과 6학년 학생 수의 차는 3학년과 4학년 학생 수의 차와 같습니다.
➡ $461-368=93$(명)

29 지호는 10분 동안 4 km 500 m, 20분 동안 9 km, 40분 동안 18 km를 달립니다.
유진이는 10분 동안 6 km, 30분 동안 18 km를 달립니다.
지호가 40분 동안 달린 거리와 유진이가 30분 동안 달린 거리는 18 km로 같습니다.
➡ 지호와 유진이가 만나는 시각은
8시 10분+40분=8시 50분입니다.

30
오전에 만든 빵:
오후에 만든 빵:
➡ 오후에 만든 빵은 오전에 만든 빵의 $\dfrac{2}{4}$ 입니다.

2회 심화 모의고사   61~64쪽

1 24, 84   **2** 2, 18, 20
3 ①   **4** 6개
5 8번
6 $14\times6=84$, 84개
7 12   **8** 나
9 0.6, 0.4   **10** 83
11 2, 3, 4에 ○표
12 [모범 답안] ❶ 대형 버스를 타고 남은 어린이는 $94-46=48$(명)입니다.
❷ 따라서 $48\div6=8$(대)의 승합차가 필요합니다.   답 8대
13 287   **14** 5 cm
15 8대   **16** 4
17 0.8, 2.5, 2.7, 3
18 85대   **19** 1221
20 [모범 답안] ❶ 6명씩 3모둠은
$6\times3=18$(명)입니다.
남은 학생 수는 $33-18=15$(명)이므로 5명씩 $15\div5=3$(모둠)입니다.
❷ 따라서 준호네 반은 6명씩 3모둠, 5명씩 3모둠으로 모두 6모둠이 됩니다.   답 6모둠
21 193 km   **22** 수요일
23 3분 45초   **24** 24
25 6개   **26** 6
27 130 cm   **28** 40 cm 5 mm
29 448   **30** 4

풀이

1
```
      2 8
  ×     3
      2 4  ← 8×3
      6 0  ← 20×3
      8 4
```

2
```
    2시간  15분
  +        3분  20초
    2시간  18분  20초
```

3 나누는 수가 7인 나눗셈은 7의 단 곱셈구 구로 몫을 구할 수 있습니다.

$7 \times 6 = 42 \rightarrow 42 \div 7 = 6$

4 각 1개짜리: 각 ㄴㄷㄷ, 각 ㄷㄹㄹ,
　　　　　 각 ㄹㄹㅁ → 3개

각 2개짜리: 각 ㄴㄷㄹ, 각 ㄷㄱㅁ → 2개

각 3개짜리: 각 ㄴㄱㅁ → 1개

➜ $3 + 2 + 1 = 6$(개)

5 (경운기로 한 번에 옮길 수 있는 쌀의 수)
÷(지게로 한 번에 옮길 수 있는 쌀의 수)
$= 24 \div 3 = 8$(번)

6 (전체 초콜릿의 수)$= 14 \times 6 = 84$(개)

7 ・0.7은 $\frac{1}{10}$이 7개입니다. ➜ ㉠$=7$

・0.1이 5개이면 0.5입니다. ➜ ㉡$=5$

➜ ㉠$+$㉡$=7+5=12$

8
가　　　　　　　 나

가 도형에서 찾을 수 있는 직각: 6개

나 도형에서 찾을 수 있는 직각: 8개

➜ $8 > 6$이므로 찾을 수 있는 직각의 개수
가 더 많은 도형은 나입니다.

9

・먹은 부분: $\frac{6}{10} = 0.6$

・남은 부분: $\frac{4}{10} = 0.4$

10 $21 \times 4 = 84$이므로 □<84입니다.
따라서 □ 안에 들어갈 수 있는 자연수 중
에서 가장 큰 수는 83입니다.

11 자연수의 크기가 같으므로 소수의 크기를
비교하면 $1 <$□< 5이므로 □ 안에 들어갈
수 있는 수는 2, 3, 4입니다.

12

채점 기준		
❶ 대형 버스를 타고 남은 어린이 수를 구함.	1점	3점
❷ 필요한 승합차의 수를 구함.	2점	

13 $267 +$□$+ 342 = 896$, □$+ 609 = 896$,
$896 - 609 =$□, □$= 287$

14

5 cm 5 cm
15 cm ㉮ ㉰ 5 cm
㉯ 10 cm
15 cm 10 cm

(㉯의 한 변의 길이)$= 25 - 15 = 10$ (cm)

➜ (㉰의 한 변의 길이)$= 15 - 10 = 5$ (cm)

15 (자동차 바퀴 수)$= 46 - 14 = 32$(개)

➜ (자동차 수)$= 32 \div 4 = 8$(대)

16 몫이 가장 작으려면 나누어지는 수는 가장
작은 두 자리 수, 나누는 수는 가장 큰 한
자리 수여야 합니다. ➜ $24 \div 6 = 4$

17 자연수의 크기를 먼저 비교하고 자연수의
크기가 같으면 소수의 크기를 비교합니다.

➜ $0.8 < 2.5 < 2.7 < 3$

참고

・자연수 부분이 다를 때에는 자연수 부분이 클
수록 더 큰 소수입니다.

18 ・14대씩 2줄: $14 \times 2 = 28$(대)

・19대씩 3줄: $19 \times 3 = 57$(대)

따라서 주차장에 있는 자동차는 모두
$28 + 57 = 85$(대)입니다.

19 ・가장 큰 세 자리 수: 865

・가장 작은 세 자리 수: 356

➜ $865 + 356 = 1221$

20

채점 기준		
❶ 5명씩 몇 모둠이 되는지 구함.	2점	4점
❷ 준호네 반의 전체 모둠 수를 구함.	2점	

21 (자동차가 달린 시간)
=3시간 13분
=60분+60분+60분+13분
=193분
→ 1분에 1 km씩 가므로 자동차가 달린 거리는 193 km입니다.

22 (더 접어야 하는 종이학의 수)
=802-397=405(개)
405-135-135-135=0
　　　(월)　(화)　(수)
따라서 수요일까지 접으면 모두 접습니다.

23 운동장을 한 바퀴 도는 데 지연이는 영수보다 2분 18초-1분 53초=25(초)가 빠르므로 9바퀴를 돌면 25×9=225(초) 빠르게 됩니다.
→ 지연이가 225초=180초+45초=3분 +45초=3분 45초 먼저 끝납니다.

24
```
  ㉠ 2 ㉡
+ ㉢ ㉣ 6
─────────
  8 1 5
```
• ㉡+6=15, 15-6=㉡, ㉡=9
• 1+2+㉣=11, 11-3=㉣, ㉣=8
• 1+㉠+㉢=8, ㉠+㉢=7
→ ㉠+㉡+㉢+㉣=㉠+㉢+㉡+㉣
　　　　　　=7+9+8=24

주의

㉠+㉢=7에서 ㉠과 ㉢을 각각 구하지 않아도 됩니다.

25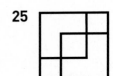
작은 정사각형이 3개, 중간 크기의 정사각형이 2개이고, 전체 모양도 정사각형이므로 찾을 수 있는 크고 작은 정사각형은 모두 3+2+1=6(개)입니다.

26 4.3<4.□<4.7
→ 3<□<7 → □=4, 5, 6
5.5<5.□<5.9
→ 5<□<9 → □=6, 7, 8
따라서 □ 안에 공통으로 들어갈 수 있는 수는 6입니다.

27 (연주의 키)=1 m 31 cm=131 cm
(인석이의 키)=131 cm+8 cm
　　　　　　=139 cm
(예진이의 키)=139 cm-9 cm
　　　　　　=130 cm
→ 130 cm<131 cm<139 cm이므로 가장 작은 사람의 키는 130 cm입니다.

참고

1 m=100 cm

28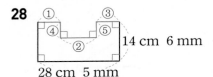
①+②+③=28 cm 5 mm,
④+⑤=6 cm+6 cm=12 cm
(파란색 선의 길이)
=28 cm 5 mm+12 cm
=40 cm 5 mm

29 17◆15=(17+15)×(17-15)
　　　　=32×2=64
4◆3=(4+3)×(4-3)=7×1=7
→ (17◆15)×(4◆3)=64×7=448

30 ㉠<5, ㉠=6, ㉠=8인 경우를 생각해 봅니다.

	가장 큰 수	가장 작은 수	두 수의 차
㉠<5	975	㉠57	
㉠=6	976	567	409(×)
㉠=8	987	578	409(×)

→ ㉠<5인 경우 975-㉠57=518이므로 ㉠=4입니다.